CAMINAR / *WALKING*

Gudrun Dalla Via

CAMINAR / *WALKING*

Portada: Miguel J. Hernández
Dibujos del texto: Marcella Grassi

CAMINAR

Título original en italiano: WALKING

Tradujo: ROSA SOLÀ MASET
Los textos de la sección "El paseo de la mente"
estuvieron a cargo de Barbara Brevi

© 1996, red./studio redazionale

D. R. © EDITORIAL IBIS, S.A.
        C. Andorra 25 (Poligon Fonollar Sud)
        08830 Sant Boi de Llobregat
        Barcelona, España

D. R. © 1998, EDITORIAL OCEANO DE MÉXICO, S.A. de C.V.
        Eugenio Sue 59, Colonia Chapultepec Polanco
        Miguel Hidalgo, Código Postal 11560, México, D.F.
        ☎ 282 0082 ⊠ 282 1944

PRIMERA EDICIÓN

ISBN 970-651-116-4

IMPRESO EN MÉXICO / PRINTED IN MEXICO

Cómo utilizar mejor este libro

Si le gusta caminar, este libro le enseñará a convertirlo en una actividad deportiva «completa» y muy gratificante.

El *walking* es un deporte fácil y adecuado para todos. Procura notables beneficios, no sólo físicos sino también psíquicos. Es un excelente remedio antiestrés.

En el capítulo «Por qué practicar el *walking*» encontrará una descripción detallada de todas las ventajas que este tipo de actividad suave garantiza a quien la practica.

En el capítulo «La técnica del *walking*» se detalla toda la información técnica sobre cómo caminar correctamente y, por tanto, cómo deberán ser los pasos, la posición de los brazos, de los hombros, cabeza, etcétera.

Si quiere confeccionar un programa de entrenamiento que tenga en cuenta sus condiciones físicas y los objetivos que se haya fijado, lea «Un programa a su medida». Descubrirá que caminar es un deporte completo, que activa todo el cuerpo incluidos los sentidos.

Si además necesita sugerencias sobre cómo vestir para practicar el *walking*, dónde y cuándo practicarlo y cómo alimentarse correctamente antes y después del ejercicio, lea los últimos tres capítulos de este libro, en los que encontrará múltiples consejos útiles.

En el apéndice *El paseo de la mente* aparecen citados varios fragmentos de distintos autores, que han vivido en épocas y culturas distintas, pero en cada uno de ellos el caminar se revela siempre como una experiencia profunda, que coloca a quien la vive en contacto con el propio sentido de la existencia.

POR QUÉ TANTOS NOMBRES PARA UNA ACTIVIDAD TAN SENCILLA

Caminar es una actividad simple, natural y espontánea que todo cachorro animal o bebé, aprende muy pronto y que practica durante toda su vida.

Desde el momento que aprendemos tan pronto a caminar, también se da por supuesto que sabemos hacerlo. Por qué razón tendríamos, pues, que escribir un libro entero.

Al parecer, después de haber depositado tanto empeño por aprender a caminar... ponemos el mismo empeño, si no más, para olvidar, aprovechando cualquier medio y ocasión para permanecer sentados o para ser transportados (ascensor, coche, avión u otros medios que sustituyen a nuestras piernas).

Hasta hace unos cincuenta años nadie hablaba de caminar, porque... todos (o prácticamente todos) lo hacían de forma habitual. Por esa razón no se conocían los numerosos problemas que ocasiona la falta de movimiento y los aún más numerosos beneficios que proporciona este modo específico de moverse.

Desplazarse a pie   En la actualidad los deportistas utilizan un gran número de términos que se refieren al hecho de desplazarse a pie. En gran parte, se trata de términos ingleses y ello se debe a que los americanos empezaron mucho antes que nosotros a tener necesidad de poner remedio a nuestra vida excesivamente sedentaria.

La razón de que este libro no se titule simplemente «Caminar» es muy sencilla. Éste es un término genérico, que abarca excesivas connotaciones e ideas preconcebidas, mientras que nosotros queremos centrarnos en ciertos aspectos específicos marcados por una técnica que los americanos han denominado «*walking*».

El término castellano «caminar» significa simplemente «desplazarse a pie»; podría también ser el movimiento necesario para desplazarse de la mesa del comedor hasta el sofá frente al televisor...

La marcha

La marcha olímpica es una forma característica de desplazarse. Para adquirir la máxima velocidad, sin llegar a correr, los pies no deben perder nunca el contacto con el suelo (so pena de ser descalificado al tercer aviso) y colocarse uno frente al otro, como si estuviéramos sobre una línea recta imaginaria. La pierna de apoyo deberá permanecer recta, por lo que necesariamente la pelvis basculará de forma muy vistosa, confiriendo a la marcha de competición ese aspecto singular, subrayado también por los impulsos de los brazos y hombros.

El *jogging*

El *jogging* aún no ha pasado de moda, pero el número de aficionados a esta práctica ha sufrido un descenso respecto a hace unos años. Correr, a pesar de las evidentes ventajas que supone, presenta también ciertos inconvenientes. Los problemas cardíacos de deportistas famosos que no escucharon a tiempo las señales que les enviaba su cuerpo (correr puede conducir a un estado de euforia, que se puede convertir en un juego de ambición y superación) sacudieron a la opinión pública. Además, muchísimos corredores, profesionales o aficionados, resultaron afectados de serios problemas en las rodillas y en otras articulaciones, a causa del impacto violento con el suelo, repetido en cada paso, con la consiguiente acumulación de microlesiones a nivel muscular y óseo. Respecto a la marcha, el *jogging* exige mayor consumo energético. A una velocidad de unos seis kilómetros por hora, un marchador o un practicante de *walking* consume la mitad de energía que un corredor. No obstante, a partir de los ocho kilómetros por hora, correr consume menos energía.

El *trekking*

Literalmente *trekking* significa «caminar tras los surcos dejados por los carros tirados por bueyes». Es una palabra que deriva del boer, la lengua de los colonos holandeses que emigraron a Sudáfrica.

Hacer *trekking* significa afrontar grandes recorridos a pie, incluso durante varios días o semanas enteras, por los senderos y caminos de montaña o de campo. En el *trekking* es fundamental el deseo de vivir en contacto con la naturaleza y descubrir paisajes y culturas distintas. En la actualidad, puede practicarse a pie, a caballo, con bicicleta o esquíes. Debido a que los desplazamientos suelen ser largos, conviene informarse bien sobre el territorio y el recorrido, así como estar preparado para la empresa, tanto desde el punto de vista físico (un buen entrenamiento) como del técnico (equipo adecuado).

El *Wandern*

Con el término alemán *Warden* se designa una actividad muy relacionada con la historia y la cultura del lugar que se piensa recorrer, literalmente, por las venas de cada uno de sus habitantes. En la Edad Media, un joven aprendía un oficio desplazándose durante un cierto número de años de pueblo en pueblo y deteniéndose en aquel donde hubiera un artesano de su propia corporación que requería un ayudante. Su errar se detenía cuando había completado el aprendizaje o bien cuando encontraba un maestro con una hija única, en edad de casarse. La literatura, la música popular y la lírica siguen influidas por el «espíritu del caminante». Todos los alumnos hacen excursiones a pie por los campos y los bosques, y el deporte nacional, practicado a todas las edades, es el *Wandern*. En la actualidad ya no se hace con unos pocos enseres al hombro para desplazarse de un pueblo a otro a aprender un oficio, sino simplemente para respirar aire puro, estirar las piernas y, a veces, para llegar a una agradable meta turística.

El *walking*

El *walking*, al que dedicamos este libro, parece tener su origen en el *Wandern* alemán, en cuanto a los aspectos técnicos que lo hacen adecuado para cualquiera que quiera entrenarse de forma intensiva. En este deporte prevalece el aspecto de ejercicio gimnástico para mantener una buena forma física, lo que no resta posibilidades a gozar de un bonito paseo por el prado, en el campo o en la montaña. El *walking* no presenta los riesgos inherentes al *jogging* ni a la marcha, es decir, no fuerza excesivamente ni carga determinadas articulaciones, ni equiere la preparación ni el equipo necesario para el *trekking*.

Sabía que
Si comparáramos nuestras capacidades de locomoción con la de otros animales terrestres (ya no hablamos de competir con volátidos o peces) resultaríamos muy mal parados en cuanto a la carrera, porque ellos tienen una mayor capacidad de utilización del oxígeno. En cambio, somos bastante más resistentes que ellos caminando, en desplazamientos largos y a velocidad moderada.

Es adecuado para todo el mundo, con la única premisa de avanzar de forma gradual en caso de no practicar desde hace tiempo ninguna actividad deportiva. Al alcanzar una determinada intensidad de entrenamiento, se puede experimentar el *runners'high*, ese especial sentimiento de bienestar debido a una fuerte producción de endorfina, también llamada «la droga producida por el cerebro», sin por ello llegar a un nivel de dependencia como sucede con facilidad con los corredores habituales.

El *walking* es un deporte único por su impacto suave en el cuerpo: tendones, músculos, huesos y articulaciones no sufren traumas ni excesivo consumo energético, un riesgo que existe, si bien en diverso grado, en el resto de disciplinas. Por tanto, podemos definirlo como un deporte suave, pero no por ello menos eficaz que el resto y, como veremos a lo largo de este libro, el resultado es superior incluso que el del ejercicio gimnástico.

El hecho de que todo el mundo pueda practicarlo, en cualquier momento y en todas partes, sin necesidad de equipo o material técnico, hace de él la actividad ideal para practicarla con los amigos y parientes.

El *walking* es un deporte que ofrece múltiples ventajas, como veremos en el próximo capítulo, pero sobre todo, es una actividad divertida.

POR QUÉ PRACTICAR EL *WALKING*

Existen buenas y muy numerosas razones para caminar con la técnica del *walking*. Antes de iniciar la lectura de este capítulo le sugerimos que haga un listado con los motivos que le lleven a practicar el *walking* o cualquier ejercicio.

Al final del capítulo, confeccione una nueva lista. Probablemente apreciará que la lista se ha alargado notablemente respecto a la primera.

Los beneficios para la salud

«El ejercicio es bueno para la salud», es de todos sabido, pero para la mayoría de nosotros, no es un estímulo suficiente para hacerlo. Normalmente necesitamos una razón más específica para ponernos en movimiento. Además, decimos «la salud», en singular y «las enfermedades» en plural, y son más bien estas últimas, de las que conocemos decenas de nombres, las que nos llevan a actuar. Es extraño, pero una actividad tan agradable como el *walking* sólo suele empezarse cuando el médico lo sugiere o, incluso, cuando lo ordena. Si decimos «el *walking* aumenta el bienestar físico y psíquico», al menos en un primer momento, ello debería interesar menos que la siguiente afirmación (también cierta): «El *walking* constituye una prevención frente a numerosas enfermedades». Sería mejor aún decir: «El *walking* es una terapia contra...»

Por esta razón, al presentar los aspectos positivos del *walking* hemos insistido en el carácter preventivo respecto al de curación de una serie de alteraciones y enfermedades.

El aparato cardiocirculatorio

Las actividades deportivas aeróbicas benefician el corazón, lo alivian y aumentan la fuerza y resistencia de modo evidente. El corazón de una persona que practica regularmente un deporte aeróbico aumenta de volumen, es decir, ocupa más espacio en el tórax y forma paredes más fuertes, debido a que se acostumbra a «bombear» más. Al mismo tiempo, la frecuencia del latido cardíaco disminuye y, por ello, el pulso del deportista es sensiblemente más lento que el de una persona sedentaria. Al contrario de lo que podríamos imaginar, esto constituye un gran ahorro energético. Para explicarlo, no hay más que pensar en un motor potente que realiza sin cansarse un trabajo que podría fundir un motor mucho más pequeño.

RECUERDE

Los deportistas o, mejor, las personas que practican regularmente una actividad física tienen un corazón más grande que las sedentarias. Un corazón más eficiente trabaja con menor esfuerzo, menor riesgo de sobreesfuerzo y menor desgaste energético. Tiene una frecuencia inferior de latidos.

Un entrenamiento suave, por ejemplo, media hora de *walking* intensivo tres veces por semana, puede reducir en gran medida el riesgo de infarto.

Un corazón que bombea fuerte no sólo se vuelve más fuerte y se defiende más a sí mismo, sino que transporta mejor la sangre y, con ello, el oxígeno y los nutrientes hacia adentro, así como los detritos y las toxinas hacia fuera. De esta forma, entre otras cosas, se mantienen las arterias limpias (por ejemplo, existirán menos depósitos de colesterol LDL en las paredes) y el corazón deberá realizar menos esfuerzo al encontrarlas libres.

Muchas personas que han padecido infartos afirman que el *walking* (al que se han convertido tarde, aunque no demasiado tarde...) han encontrado una segunda vida tanto en términos físicos, como desde el punto de vista psicológico, con el descubrimiento de emociones que parecían perdidas, por ejemplo, las originadas por el contacto con la naturaleza.

Caminar regularmente tiene un efecto beneficioso incluso en la presión sanguínea. La circulación sanguínea y linfática se benefician tanto a través del propio movimiento como del aumento de la actividad del corazón. Para demostrarlo, sólo tendremos que comprobar que después de esta actividad, siempre tendremos las manos y los pies agradablemente calientes y, en general, nos resentiremos menos de los cambios de temperatura.

Las vías respiratorias

En seguida apreciará que caminando respira más profundamente no sólo durante el entrenamiento, sino también en la vida de cada día. El *walking* mejora la funcionalidad de las vías respiratorias y, entre otras cosas, incrementa la resistencia a las infecciones. Una contribución notable procede del aire puro, que irá a buscar siempre que le sea posible, durante las caminatas.

Hasta los asmáticos pueden, previa consulta médica, someterse a un moderado y gradual entrenamiento, disminuyendo el riesgo de complicaciones gracias a la mejora de la funcionalidad pulmonar. Entre otras cosas, el aumento de la confianza en las propias capacidades contribuye a disolver, poco a poco, el miedo a nuevos ataques.

Los problemas de índole venosa: varices, piernas hinchadas, etcétera

Las piernas se hinchan con mucha más facilidad que otras partes del cuerpo y muchos de nosotros tenemos problemas de varices (o venas varicosas) por una razón muy simple. El corazón está arriba y las piernas abajo. Para evitar que la sangre caiga hacia abajo y se estanque, nuestro organismo dispone de una serie de válvulas. Sin embargo el corazón no sólo se cansa impulsando el movimiento de ida y vuelta de la sangre; la contracción y la relajación de los músculos de los pies y piernas, que actúan como bomba, producen un impulso hacia arriba que conduce a la sangre a través de las válvulas y hacia el corazón.

La práctica regular de *walking* (al menos tres veces por semana) mejora la circulación venosa, previene dolores, calambres, hinchazones, agotamiento de piernas y es una valiosa prevención y terapia de las varices.

El metabolismo

El término metabolismo (o recambio) deriva del griego *metabolé*, «cambio», y se refiere al conjunto de transformaciones químicas y fenómenos energéticos presentes a distintos niveles del organismo. Por ejemplo, se habla de metabolismo lipídico o de las grasas, de metabolismo glucídico o de los azúcares y similares. Numerosos estudios han demostrado que la actividad aeróbica mejora el metabolismo en general, con «efectos colaterales» distintos, todos positivos. Aumenta la capacidad de producir energía, por lo tanto nos volvemos más eficientes; mejora la viscosidad de la sangre; los depósitos adiposos se consumen mejor y se elimina el posible exceso de peso.

El peso y la forma física

El exceso de peso está estrechamente relacionado con muchos problemas de salud, como la hipertensión y la diabetes, y puede causar problemas óseos y articulares, por tener que sostener un peso excesivo. La ac-

18

tividad aeróbica y, en particular, el *walking* pueden contribuir de forma decisiva a invertir la tendencia a acumular peso. La pérdida de sobrepeso está relacionada con la intensidad del entrenamiento, que a su vez depende de las condiciones físicas generales. En general, el ejercicio provoca un descenso moderado, pero constante de peso, más fácil de mantener respecto a una disminución más consistente, conseguida, por ejemplo, con una dieta drástica.

Las personas con exceso de peso se sentirán beneficiadas con el entrenamiento aeróbico, porque mejora la capacidad del organismo de gestionar el alimento introducido.

Las defensas inmunológicas

Quien se acostumbra a dar una caminata al aire libre durante todo el año y con cualquier tiempo, en seguida apreciará que está menos sujeto a resfriados y gripes. Los diversos estímulos térmicos y climáticos mejoran nuestra capacidad de reacción y tienden a hacernos inmunes. La persona que empieza a estornudar con la mínima corriente de aire y se pasa el invierno sentada junto a la estufa, deberá vencer una fuerte resistencia a salir de casa con un mal día. Pero basta con hacer un pequeño esfuerzo para convencerse. En seguida, le tomaremos gusto y el mal tiempo será cada vez menos molesto.

RECUERDE

Practicar el *walking* mejora el metabolismo. Las mitocondrias (las «centrales energéticas» de las células) aumentan de volumen, los músculos mejoran la actividad enzimática, crece el porcentaje de mioglobina en las células de los músculos, los músculos consiguen formar mayores reservas de glicógeno, desciende el nivel de colesterol y se equilibra la relación entre HDL y LDL (colesterol bueno y malo), disminuyen los «deshechos», por ejemplo, en el ácido úrico.

Nuestro sistema inmunológico está preparado no sólo para defendernos de las pequeñas enfermedades estacionales, sino también de problemas más serios, como por ejemplo, la eliminación de posibles células tumorales que, al parecer, se forman regularmente incluso en un organismo sano. Los estudios específicos sobre el tema han demostrado que los deportes de resistencia, bien dosificados, estimulan la producción de sustancias reguladoras de nuestras defensas, por ejemplo, interferonas, interleucina-1, inmunoglobulina, linfocitos y endorfinas.

Dolor de cabeza, cefaleas, hemicráneas

Muchas personas que han sufrido durante años cefaleas o hemicráneas recidivas han apreciado una clara mejoría después de iniciar la práctica del *walking*. Incluso durante un ataque agudo podrá salir al aire libre, respirar con tranquilidad y caminar de forma relajada, pero decidida y luego comprobar si el problema aumenta o disminuye. Recuerde que debe caminar con la cabeza erguida, con la nuca y los hombros relajados. Es posible que sea necesario realizar varios intentos antes de conseguir tener el síntoma bajo control, pero merece la pena probarlo.

Dolor de espalda, artrosis, problemas articulares

Muchos cazadores, tenistas, corredores y practicantes de otras disciplinas deportivas se han pasado al *walking*. Algunos de forma temporal, para aliviar sus articulaciones estresadas, y otros muchos de forma definitiva, porque se han aficionado a este deporte tan suave, nada exigente, relajante, menos excitante que otros pero no por ello menos divertido y variado.

El ejercicio es un remedio excelente incluso para aquellos que tienen problemas de espalda o de articulaciones. A excepción de la fase aguda o inflamatoria, en la que el doctor puede aconsejar reposo absoluto, el medio más válido para dar un empujón al metabolismo consiste en tonificar la musculatura que sujeta nuestro esqueleto, prevenir o disminuir la tendencia a tensiones musculares, lubrificar las articulaciones con una mejor circulación, fortalecer los tendones y ligamentos y, así, prevenir cualquier posible accidente futuro.

Además, el *walking* es una excelente prevención contra la osteoporosis porque aumenta o mantiene la densidad ósea. De hecho, pone en funcionamiento casi todos los 206 huesos de nuestro cuerpo y nuestros 660 grupos de músculos. En suma, constituye una auténtica «gimnasia total».

Problemas intestinales

El estreñimiento y el colon irritable son un mal muy extendido, pero no por ello inevitable. El *walking* puede mejorar estos problemas, actuando sobre diversos frentes: el movimiento específico constituye un masaje abdominal que reactiva la peristalsis intestinal, además ayuda a combatir el estrés, que a menudo es una de las causas de los problemas intestinales.

El cerebro

El cerebro necesita un aporte continuo de oxígeno. El ejercicio mejora la circulación sanguínea, con el consiguiente aumento de oxígeno en todo el cuerpo, incluido el cerebro.

Este efecto no sólo se obtiene durante la práctica del *walking*, sino que tiende a ser permanente si la actividad motriz se sucede con un mínimo de regularidad (por ejemplo, tres veces por semana).

Al parecer, el cerebro resulta muy beneficiado con todos los estímulos nuevos que le llegan durante una caminata al aire libre: aumenta la capacidad de observación, concentración, coordinación y memorización.

Caminar induce a una mayor producción de endorfinas y catecolaminas, sustancias que transmiten una sensación de bienestar, reducen la sensibilidad al dolor, la ansiedad, las tensiones, la tendencia a las depresiones y mejoran las repuestas inmunológicas.

Para el estrés

La mejor forma para comprender la formidable acción antiestrés del *walking* es probar su eficacia. La próxima vez que se sienta irritado o tenso, salga en seguida a dar

Dime cómo caminas y te diré en qué piensas
Nuestro cuerpo expresa nuestros pensamientos y emociones. Intente observar su propia forma de caminar, en distintos estados de ánimo.
Por ejemplo, si presta excesiva atención a su cuerpo con la técnica del *walking*, apreciará con facilidad que el paso se hace contraído, mecánico y poco elegante. Si tienen preocupaciones que le absorben hasta el punto de no apreciar ni siquiera lo que tiene a su alrededor, su cuerpo se volverá rígido y se cansará mucho antes de caminar.
En general, el caminar favorece la relajación emotiva y muy pronto recuperará su equilibrio. El paso se volverá suelto, el pensamiento lúcido; sin esfuerzo podrá recorrer muchos kilómetros y, al mismo tiempo, aclarar muchos aspectos de su vida o trabajo,

un paseo. Evitará que la descarga de adrenalina que se libera, se dirija contra usted mismo. Además apreciará que la práctica regular del *walking* le hace menos vulnerable a los numerosos síntomas del estrés: ansiedad, nerviosismo, tensión, irritabilidad e insomnio, mareos, palpitaciones, hemicráneas, dolor de estómago y similares.

La psique

No sólo controlará mejor las situaciones estresantes, sino que en la vida diaria, se sentirá más relajado y equilibrado, quizás un poco más distanciado de los

RECUERDE

El walking también actúa en la psique. Aumenta el sentido subjetivo del bienestar, reduce la tendencia a la ansiedad y depresión, aumenta la autoestima, mejora el control del estrés, mejora la capacidad nemónica y la concentración.

problemas y más seguro de sí mismo. Ello se debe probablemente a que habrá descubierto nuevos valores y habrá establecido nuevas prioridades en su vida. Muchos nuevos practicantes de *walking* afirman que se sienten más seguros y más sociables.

Sin duda encontrará o recuperará una buena relación con su propio cuerpo y aprenderá a escucharlo y comprenderlo mejor.

Para la mujer

Existen ciertos aspectos en el *walking* que interesan de forma particular a la mujer. Las mujeres que durante la menstruación sufren dolores abdominales y/o dolores de espalda suelen encontrar alivio al caminar de forma relajada, pero decidida. El bienestar se extiende más allá del paseo y dura incluso varias horas. Se puede aplicar también una técnica respiratoria para relajar posibles tensiones musculares. Asimismo, el bienestar psicológico es notable para las mujeres que, en esos días, sufren estados de ánimo depresivos o bajos de moral.

El síndrome premenstrual

Con el *walking* también puede atenuarse el síndrome premenstrual (PMS). Diversos estudios han demostrado su acción en el sistema endocrino y la mayoría de las mujeres que practican el *walking* afirman que advierten menos tensiones e hinchazones, menor irritabilidad y deseo de dulces en los días anteriores a la menstruación, desde que este ejercicio forma parte de su vida.

El embarazo

El embarazo no suele constituir un motivo para interrumpir la práctica del *walking*, incluso, es el deporte más indicado porque previene la estancación venosa y otros problemas circulatorios, el aumento excesivo de peso y la relajación de los tejidos. Obviamente deberán tenerse en cuenta ciertas normas de prudencia: el entrenamiento será siempre muy suave y no deberá llegar nunca a un agotamiento excesivo; se evitarán sobrecalientamientos; se tomará más tiempo antes, durante y después del *walking*, se evitarán los saltos y se beberá más de lo habitual.

Quién no debería practicar el *walking* .
A pesar de que el *walking* sea un deporte suave por ·
excelencia, adecuado incluso en fases de rehabili-
tación después de diversas enfermedades y trau-
matismos, existen ciertas condiciones que requieren la opinión médica. Sólo el médico podrá decidir
en qué medida el paciente puede o no practicar el
walking. Por lo tanto, hay que consultar con el médico si sufre de:

- Angina de pecho descompensada (dolores y difi-
cultares respiratorias incluso sin hacer ejercicio).
- Hipertensión acentuada y continua.
- Arritmias marcadas acompañadas de dificultades
respiratorias.
- Graves problemas circulatorios con dolores sin
realizar ningún movimiento.
- Dolores que le impidan caminar durante más de
tres minutos y/o cien metros.
- Estenosis coronaria acentuada.
- Inflamaciones agudas.
- Fiebre alta, gripe.
- Síntomas particulares durante o después de la ac-
tividad física.
- Agotamiento o abatimiento insólito y/o permanente.
- Si está tomando antibióticos.
- Si se ha sometido recientemente a una interven-
ción quirúrgica.

El climaterio

Unos años antes, durante y después del climaterio,
la mujer puede tener notables problemas para adaptarse al distinto funcionamiento del organismo. El *walking*
tiende a estabilizar tanto la situación circulatoria (incluidos los sofocos) como la emotiva, a la vez que contribuye a prevenir la osteoporosis.

Mejoría del estado de ánimo. El *walking* es sobre todo una diversión

Si no practica ya un deporte o una actividad física que le divierta y está pensando en dedicarse al *walking*, intente encontrar desde el principio una buena relación con esta actividad. Si no se divierte durante la caminata, tendrá menos probabilidades de persistir en este saludable hábito y, sobre todo, se perderá la mejor parte.

Quizá descubra un poco por casualidad el placer de sentir realmente bien el placer de caminar. La liberación de las endorfinas, esas sustancias que nuestro cerebro produce en determinadas condiciones y que nos hacen sentir eufóricos, podría estar ausente en las primeras salidas y empezar a aparecer tras un poco de entrenamiento.

Encuentre motivos válidos

Intente descubrir desde el principio motivos válidos para usted. Uno de ellos podría ser el simple alejamiento de la rutina diaria para dedicarse un poco de tiempo a sí mismo.

Otro estímulo puede consistir en el entorno en que decida caminar. Intente examinar los siguientes «motivos» y valores si pueden ser válidos:

- conocer mejor los alrededores… de su casa;
- descubrir barrios de su ciudad que no conocía;
- recorrer las calles de las ciudades en horarios que no están repletas de gente;
- hacer a pie algunos recados (quizá hasta se dará cuenta de que tarda menos que en coche);
- hallar o encontrar el contacto con la naturaleza, tanto en parques de la ciudad, como fuera de ella;
- conocer mejor la vegetación y los aspectos paisajísticos de los lugares elegidos para caminar;
- llegar a metas turísticas, gastronómicas u otras y concederse una agradable estancia.

Asimismo, el *walking* le da la posibilidad de:
- pasar el tiempo en compañía;
- hacer algo que le implique «activamente», es decir, que es usted mismo quien programa su tiempo, su re-

corrido, su ritmo, sus pensamientos, en lugar de «dejarse divertir» pasivamente, por ejemplo, con la televisión.

Los beneficios para su aspecto físico

En cuanto regrese de su primera caminata al aire libre, su espejo le reflejará una imagen más lisonjera. La piel parecerá más fresca y rosada y los ojos más luminosos. En poco tiempo, oirá que muchos le dirán: «Pero, ¿qué haces? Te encuentro mucho mejor».

Con el hábito del *walking* le será fácil alcanzar de forma gradual su peso ideal sin tener que someterse a particulares regímenes alimenticios.

Mejorar la línea

Su línea mejorará, no por un simple descenso calórico, a pesar de que le interesará saber que el *walking* moderado quema 500 calorías por hora, y 1000, a pasado rápido o en subida. Pero no son sólo los kilos los que determinarán su aspecto. Con el *walking* buena parte del tejido adiposo será sustituido por músculos fuertes y su cuerpo, más compacto, parecerá aún más esbelto y modelado de forma ideal. Algunos ejemplos: la cintura se moldea, los glúteos se vuelven más fuertes, al igual que los senos en la mujer (el movimiento de los brazos, típico del *walking* intenso, tonifica los músculos pectorales).

Cambia el porte   Algo que salta a los ojos es el cambio en el porte, en la andadura. Cuando se mueve en la vida de cada día, sin realizar ningún esfuerzo se mantendrá más «derecho», con la cabeza en alto, los hombros relajados, pero no curvados y con la espalda elástica. Todo ello son los efectos secundarios del *walking*.

También tendrá una mirada más viva, favorecida no sólo por la mejor oxigenación de los tejidos sino también porque al caminar se habrá echado a las espaldas una buena porción de estrés y se volverá más atento a lo que le rodea.

Si quiere hacer algo más por el aspecto del rostro, durante la caminata, recuerde de vez en cuando relajar con atención los músculos faciales: las arrugas se distienden con rapidez y en seguida se encontrará más relajado.

RECUERDE

Si quiere renunciar al tabaco, las bebidas alcohólicas o a algún fármaco al que se haya habituado, el *walking* intensivo mejora la producción de endorfinas, que no es más que la «droga personal y no tóxica» que produce nuestro cuerpo. Sin duda, ellas le ayudarán a liberarse de las externas.

Fácil y adecuado para todos   Caminar es una acción espontánea, casi como comer, beber, dormir y respirar. Es cierto que se puede respirar poco y mal, dormir poco y mal,... y hasta caminar poco y mal. Pero es siempre una actividad innata que se puede cultivar y, con un mínimo de atención, mejorar.

Para cualquier otro deporte debemos aprender movimientos y reglas. En cambio, el *walking* sólo es el perfeccionamiento y la optimización de una capacidad que ya poseemos.

El *walking* puede realizar en cualquier momento y en cualquier parte, hasta en casa.

27

No requiere ningún equipo especial, ni ningún entrenamiento deportivo preliminar.

Es apto para todas las edades y en cualquier condición física: desde el superatleta hasta el perfecto sedentario. Lo pueden practicar desde niños hasta ancianos.

Es útil para los hombres y mejor aún para las mujeres. La marcha fue una de las primeras disciplinas deportivas descubierta por las mujeres y no debe sorprender que las mujeres, por su estructura y memoria genética, sean caminadoras natas, incluso más que los hombres. El *walking*, más que la marcha, es muy adecuado para las mujeres. De hecho, en los parques y en los senderos de los bosques de los países donde se practica el *walking* habitualmente, hombres y mujeres lo ejercen en igual medida.

Nunca es tarde y nunca es pronto

Es cierto que nunca es demasiado tarde para empezar, pero es cierto que cuanto antes se empiece, mejor. Si uno se siente cómodo haciéndolo, ¿por qué debería esperar más tiempo?

Es una lástima no dar a los niños ocasión de caminar. Es una actividad indispensable para su crecimiento psicofísico; favorece la formación de los huesos y músculos, estimula su atención y su sentido de la responsabilidad e independencia.

Llevarlos con un adulto para pasear a pie es una buena ocasión para estar juntos. Además, saber que pueden ser autosuficientes, le ahorrará muchos esfuerzos como conductor acompañante.

Ecológico y económico

Prácticamente todas las disciplinas deportivas tienen un cierto impacto ambiental. Pensemos, por ejemplo, en el motocross, en las carreras automovilísticas, en las actividades que requieren desplazamientos en coche, avión o helicóptero y que por tanto consumen mucho carburante, además de provocar una contaminación acústica y atmosférica; o bien en los céspedes de golf, que requieren grandes tratamientos químicos que pueden contaminar los estratos acuíferos. Incluso los gimnasios contribuyen al consumo de energía, en particular, si poseen aire acondicionado y maquinaria eléctrica.

Además, todo deporte requiere un equipo más o menos costoso, además de cursos o entrenamiento a menudo bastante onerosos.

Aprendamos a respetar el entorno

El *walking* puede volverle a hacer entrar en contacto con la naturaleza. El respeto, el sentido de la responsabilidad y la tutela de la belleza e integridad del entorno pueden ser algo muy abstracto, hasta que entremos en contacto directo con los problemas que hemos creado nosotros mismos. Su sensibilidad hacia estos problemas aumentará cuando aprecie con sus propios ojos (o con los pies) los daños provocados por años de abandono, dejadez e intervenciones insensatas. Caminando por la naturaleza, la sentirá suya, como si fuera una segunda casa y ¿quién podría ensuciar su propia casa o dejarla en la más completa degradación?

A la persona que realiza las primeras excursiones se aconseja que no deje basuras tras de sí, ni que arranque ni dañe las plantas, así como que evite asustar a los animales. Además, no es recomendable encender fuego o tirar colillas encendidas (lo mejor sería no fumar durante el *walking*). Muy pronto todos estos consejos formarán parte de la costumbre de gozar de la naturaleza y de no hacer nada que pudiera deteriorarla o dañarla.

La persona que disfrute con el *walking* encontrará la forma de moverse a pie por la ciudad, y contribuirá así a reducir la contaminación y, con el tiempo, el espacio ocupado por los coches. ¿Sabía que en algunas grandes ciudades como por ejemplo Los Ángeles, casi el 70% del espacio urbano está ocupado por coches? Aparcamientos, carreteras y autopistas superan ya los espacios ocupados por el hombre.

Un deporte económico

Entre otras cosas, el hombre es un «medio de transporte» de alto rendimiento y con un bajísimo consumo energético y con una relación coste-rendimiento mejor que cualquier medio motorizado.

Si además añadimos que bastan un par de zapatos cómodos para desplazarse a pie, el *walking* no tiene competidores en cuanto a economía.

Favorece las relaciones humanas

Los momentos dedicados al *walking* son una ocasión excelente para socializar. Mientras que el coche aísla y difícilmente permite establecer contacto, caminar facilita el contacto, al menos visual, con otras personas. De aquí a un saludo o a un intercambio de información sobre el recorrido o una conversación, va un paso.

Además, el *walking* puede practicarse sin quedarse nunca sin aliento, por lo que es posible hablar durante la caminata.

Si existen grupos o asociaciones de personas que desean dedicarse al *walking,* resulta fácil que se unan para hacer excursiones a pie. No pocas amistades y matrimonios han nacido de este tipo de encuentros.

Además, los grupos se forman espontáneamente cuando alguien practica el *walking* con entusiasmo... No hay más que recordar la película *Forrest Gump*, en la que el protagonista corría sólo por el placer de correr y se encontró en medio de numerosa compañía.

El balón, el gimnasio, la caza... prácticamente todos los deportes alejan al deportista de su familia durante un buen número de horas, quizá las únicas en las que podrían estar juntos. En cambio, el *walking* puede practicarse perfectamente en grupos familiares. Los niños que aún no caminan pueden llevarse en las mochilas especiales para ellos o en carricoches.

Implique a sus hijos

Intente implicar a sus hijos y, si no se muestran dispuestos a seguirle, haga algo para que:

- Puedan traer también a sus amigos o primos de la misma edad.
- Se puedan hacer juegos divertidos a medio camino o durante el trayecto.
- Fije una meta interesante para la excursión o dele un matiz de aventura (por ejemplo, camine a través de las viejas estaciones de tren, o de noche con linternas, por supuesto, o bien prepare un mapa y una brújula, programe un paso de un río o una noche al raso).
- Respete los acuerdos, por ejemplo, sobre la duración de la excursión.
- No se sientan en inferioridad de condiciones por estar menos entrenados.
- El picnic o la merienda presenten cierto interés.

No sea demasiado crítico en cuanto a su ropa, aunque se ensucie, ello no debe ser un problema.

Una propuesta que hay que divulgar

Organizar una excursión-*walking* es una excelente ocasión para conocer de cerca a los compañeros de trabajo o de piso. No hay nada forzado en ello, porque nadie está obligado a hablar y todo sucede con la máxima naturalidad.

Descubrir al prójimo fuera del entorno habitual puede ser realmente una aventura muy bonita. No hay que hacerse programas sobre el «después». La mayoría de las veces se establece una buena relación que prosigue

---

RECUERDE

¿Le retiene la idea de tener que practicar el *walking* solo? Aunque de momento no conozca a nadie que lo practique, no será difícil conocer a alguien para que lo intente. La diversión y la sensación de bienestar son tan grandes que colegas, amigos, conocidos y parientes le llamarán pronto para hacer otra caminata. También porque puede ser la ocasión para una charla amena...

Perros: compañía y encuentros fortuitos

La persona que posee un perro tiene más razones para caminar cada día (en particular, si no vive en una casa con un gran jardín). El *walking* es una técnica que permite aconseja tener libertad de movimientos de manos y brazos. Si su perro está acostumbrado a seguirle de cerca sin collar o sin crear problemas a otras personas o animales, entonces podrá dejarlo correr en libertad. En caso contrario, podrá fijar un collar un poco largo a su cinturón.

Si se encuentra con otros perros, esté preparado para intervenir, pero antes observe con atención las intenciones del suyo y del otro perro. Quizá sólo deseen conocerse o jugar un poco; si, por el contrario, uno de ellos fuera agresivo lo mejor es separarlos con la máxima diligencia. Un bastón puede ser útil para mantener a distancia un perro extraño. Al mismo tiempo, deberá estar seguro de que su perro obedecerá a la primera orden.

Si su caminata le conduce cerca de casas o granjas donde un perro interpreta su deber de guardián un poco demasiado a la letra, puede ser útil seguir estas reglas:

• No penetrar en «su territorio» sin advertir antes a los dueños y tener la posibilidad de que intervengan.

• No huir, pues aumentaría la agresividad del perro, que entre otras cosas, seguro que es más rápido que el hombre.

• Proveerse de un bastón y no agitarlo a distancia, sino sólo cuando el perro se acerque demasiado.

• Cuando se encuentre a un metro de distancia y pretenda acercarse más, grítele. Ello le desorientará y normalmente le desanimará en su intento.

• Si nada funciona, aplaque su agresividad tumbándose en el suelo y permaneciendo inmóvil. Su instinto le impide agredir a una «presa» inmóvil.

incluso en el día a día. Muchas empresas ya han puesto en marcha círculos poslaborales que acostumbran a organizar actividades diversas. En caso contrario, tendrá que tener un poco de iniciativa...

Y si la finalidad fuera...

...además del bienestar físico, por ejemplo, pasar unas horas en estrecho contacto con la naturaleza y quizá conocerla mejor? O bien el de conocer otros modos de vivir.

A menudo, ni siquiera imaginamos que quizás a unas manzanas de nuestra casa existe un taller de artesanía o bien un campamento de nómadas y que no teníamos ni idea de su forma de vida cuando pasábamos ante ellos en coche.

Caminar para conocer y... meditar

En la Edad Media era habitual adquirir conocimientos y experiencia desplazándose a pie de una región a otra. Así, artesanos y estudiantes se detenían durante un cierto lapso de tiempo para aprender con un maestro y, después, volvían a viajar. Los monjes de casi todas las religiones y épocas se desplazaban (y siguen haciéndolo) sin cesar; algunos de ellos tenían la norma de no detenerse nunca más de dos noches seguidas bajo el mismo techo.

De esta forma, caminar formaba parte de la vida contemplativa y todo paso venía acompañado de meditación u oración.

La peregrinación clásica aún prevé al menos una cierta distancia que hay que recorrer a pie. La razón es

---

RECUERDE

Según la tradición de muchos pueblos, caminar purifica el alma, la despoja del imperio del intelecto y de las necesidades materiales. Por esta razón, son muy comunes las peregrinaciones y los recorridos iniciáticos.

evidente, puesto que caminar predispone el espíritu al recogimiento. Muy distinto es el estado de ánimo de quien ha tenido que conducir y dificultades para aparcar, o quien acaba de apearse de un autobús repleto.

La «peregrinación poética» era una forma de vida practica en Oriente. Aquí la premisa era llevar una vida pobre y errante, es decir, sin morada fija. Es un comportamiento que se consideraba una virtud y no como en la actualidad, un signo de marginalidad. Estos peregrinos glosaban la naturaleza y regalaron la humanidad con sus poesías de extraño encanto.

RECUERDE

El *walking*, al igual que cualquier actividad física que implica a los dos lados del cuerpo en igual medida, puede armonizar los dos hemisferios de nuestro cerebro: el derecho, preparado para la intuición, la fantasía, la creatividad, y el izquierdo, dedicado a la lógica, el cálculo y la palabra. Probablemente por ello, caminar despierta nuestra percepción del mundo, como ya sostenían el médico griego Hipócrates y el naturalista latino Piinio el Viejo.

La peregrinación: un camino de fe

La peregrinación es una tradición que continúa teniendo sólidas raíces en muchas culturas. «El año próximo en Jerusalén» es un saludo muy extendido, como lo es acudir a La Meca o el Ganges. Para nosotros puede ser difícil entrar en el espíritu de este camino, pero son muchos los peregrinos que se desplazan hasta Lourdes o Fátima para «rogar una gracia», o los que realizan el Camino de Santiago, la vía de peregrinación europea más transitada. Los peregrinos de otras culturas inician el viaje hacia un lugar santo sabiendo ya que el propio camino los colocará en estado de gracia.

«El camino es la vía» es el principio de muchos peregrinos, que significa que no sólo cuenta la meta que hay que alcanzar, sino cada paso que se realiza, siempre que esté preñado de intenciones puras y recogimiento.

¿Debería practicar el *walking*?
A continuación citamos una serie de «buenas razones» para practicar el *walking*. Léalas y compruebe cuáles son las que le corresponden, después decida si son suficientes para motivarle a practicar el *walking*.

En la actualidad:
- paso más de ocho horas sentado;
- paso más de ocho horas en pie;
- paso más de doce horas en ambientes cerrados;
- no practico ningún deporte;
- hago poco ejercicio;
- me falta el aliento después de pequeños esfuerzos, por ejemplo después de subir las escaleras;
- mi peso corporal no me satisface;
- sufro muchos dolores de espalda.

Deseo ser o estar:
- sano;
- eficiente;
- resistente al cansancio y las infecciones;
- tranquilo y equilibrado;
- esbelto;
- fuerte y en forma;
- sociable;
- creativo;
- abierto y disponible.

¿Acaso la propia vida no ha sido definida como un camino o una peregrinación?

La «meditación» caminando

Thich Nhat Hanh, en su libro *La paz es cada paso*, afirma: «La meditación caminando puede ser muy agradable... Meditación caminando significa disfrutar de la caminata, caminar no para llegar, sino simplemente por caminar. El objetivo es enraizarse en el presente y, concienciados, respirar y caminar, disfrutar de cada paso... Cuando caminamos, deberemos hacer de forma que dejemos sólo huellas de paz y serenidad. Todos podemos hacerlo, siempre que lo queramos realmente. Cualquier niño es capaz de hacerlo».

Hace tiempo que Occidente mira a Oriente para comprender su espiritualidad. De esta forma, Hermann Hesse describió en *Siddharta*, que en cada paso de su camino aprendía algo nuevo y dejaba que su corazón resultara seducido.

Satprem eligió la marcha, en particular cuando se supera la fatiga física y «existe algo más que te arrastra».

Caminar hasta detener la mente para alcanzar la iluminación o el éxtasis. Caminar sólo en apariencia, hasta ti mismo...

Por último, para algunos caminar puede ser un modo de concentrarse o dejar fluir libremente las ideas y las palabras. El *walking puede* convertirse para usted en un excelente forma de estimular la creatividad. Además, el filósofo Friedrich Nietzsche afirmó: «Sólo las ideas que nos surgen caminando tienen valor».

LA TÉCNICA DEL *WALKING*

La diferencia principal del *walking* con el resto de formas de caminar son algunas de los consejos «técnicos» que mejoran su eficacia, el efecto aliviador y el consumo energético. Recuerde siempre que la finalidad principal no es la de llegar con más rapidez a cualquier lugar.

Antes de empezar

Antes de descubrir los trucos del practicante de *walking* experimentado le sugiero que realice algunas pruebas por su cuenta. Basta con que disponga de un entorno un poco espacioso, por ejemplo un pasillo o una habitación grande y tenga a mano este libro.

1. Colóquese las manos en los bolsillos o bien sujétese el cinturón de sus pantalones. Empiece a caminar arriba y abajo.

Ahora, camine dejando las manos libres y permita que los brazos acompañen sus movimientos. ¿Qué diferencia advierte en los hombros, pelvis, nuca y en su postura general?

Si lo desea, puede repetir el experimento delante de un espejo para darse cuenta de la notable diferencia. Antes, conviene que sienta «dentro» la diferencia entre la primera y la segunda forma de caminar.

2. Camine sujetando un peso en la mano, por ejemplo, una bolsa con la compra.

Repita el ejercicio con ambas manos libres.

Si la prueba ha sido suficientemente convincente,

La longitud del paso

Para determinar «su» longitud de paso...

1. Póngase en pie, erguido y recto.
2. Déjese caer hacia delante, sin plegarse.
3. «Sálvese» de una caída avanzando con una pierna para restablecer el equilibrio.

Posición de la cabeza

a) Durante el *walking*, todo el cuerpo deberá estar suelto y bien alineado. La cabeza es muy importante porque conduce todo el cuerpo. Realice algunas pruebas.

b) *Primera prueba*: camine suelto, pero con la mirada clavada en el suelo.

c) *Segunda prueba*: camine mirando al frente. La espalda se extiende, la nuca está más suelta...

d) Observe el movimiento de los brazos en estos dibujos. Es un aspecto característico del *walking*: los brazos están sueltos y acompañan el movimiento de las piernas. Cuanto más rápido sea el *walking*, más acentuado es el movimiento de los brazos.

e) *Tercera prueba*: mire alrededor mientras camina. Su nuca, sus ojos se mueven en completa libertad. ¿Y el resto del cuerpo? Probablemente apreciará una «nueva» ligereza y soltura.

sabrá que una mochila es mejor que una bolsa si quiere llevarse el picnic o cualquier objeto en su próxima salida.

3. ¿Quiere realizar otra prueba con la mochila? Intente caminar cómo lo hacen los montañeros, sujetando las tiras de la mochila con las manos, casi a la altura de los hombros.

Ahora camine con los brazos sueltos. ¿Aprecia la diferencia?

Una razón que lleva a sujetar la mochila con las manos es porque ésta tiende a golpear los riñones. Sujete la parte baja de la mochila alrededor de la cintura, con uno de los cinturones especiales para ello, e intente caminar de nuevo.

4. Manténgase en pie con los pies juntos y la mirada al frente.

Desplace hacia delante el baricentro sin plegarse e impida la caída dejando que una pierna avance.

Así habrá encontrado la longitud máxima aconsejable para sus pasos. Alargarlos más podría significar adoptar posturas poco idóneas y esfuerzos inútiles, con tensiones y contracciones que pueden llegar a ser perjudiciales.

Si tiene dudas aumente la longitud del paso y vuelva a hacer la prueba durante el entrenamiento real.

5. Camine mirando la punta de los zapatos.

Camine mirando al frente.

Camine mirando alrededor; escoja objetos situados a la altura de sus ojos y mueva la cabeza con una ligera rotación, manteniéndola erguida.

¿Qué diferencia aprecia a nivel de la nuca?

¿En la zona dorsal? ¿Y en los ojos?

6. Para esta prueba necesitará mayor espacio.

Camine alargando al máximo sus pasos, teniendo en cuenta lo expuesto en el punto 4.

El apoyo del pie

Paso tras paso, el pie se arquea por completo, a partir del talón, a través de toda la planta, apoyándose ligeramente en el borde exterior y por último en los dedos. El pulgar dará el impulso final. Haga una prueba, en primer lugar mental, después en pie en su casa. Así, apreciará hasta qué punto sus pies son flexibles y sensibles al suelo de apoyo.

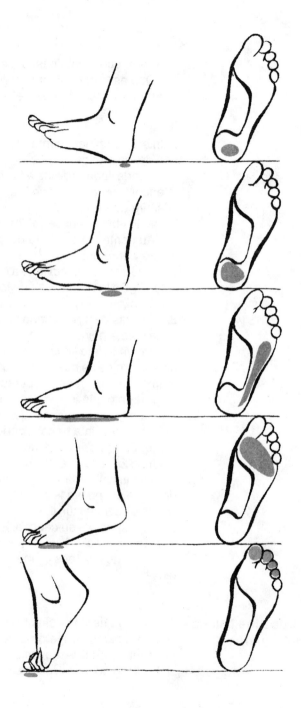

Ahora recorte sus pasos, pero acelere el ritmo.

¿Qué es lo que mejor le conviene?

Ambos tienen un buen efecto aliviante, si bien de forma diversa.

7. Intente caminar acentuando el movimiento espontáneo de los brazos.

¿Dónde llegan? ¿Hasta la cintura? ¿El tórax? Intente encontrar un ritmo que haga llegar las manos hasta la altura de los hombros, pero sin contraer los músculos de los brazos ni cerrar los puños.

¿Aumenta la velocidad del paso? ¿El paso es más suelto y enérgico?

¿Qué sensación advierte a nivel de las vértebras dorsales? ¿De la cintura? ¿Y de los músculos pectorales?

8. Mientras camina, ¿tiene la sensación de que su cabeza está erguida?

Mire un objeto situado frente a usted mientras camina. ¿Los ojos se mueven o no?

Imagine que ve a una persona que se esconde tras un parapeto que le llega casi hasta los hombros. ¿Podría decir si está caminando o si está siendo transportado por una cinta transportadora?

Repita los primeros dos puntos de esta prueba y controle los movimientos de su cabeza, sin por ello tensar los músculos del cuello. Evite que se balancee, pero deje que se mueva ligeramente sobre el eje vertical.

Los ojos tienen un ligero movimiento en sentido contrario, respecto a su cabeza.

¿Siente alivio en la nuca y en las vértebras cervicales?

¿Advierte una tensión menor que antes detrás de los ojos?

Todos los trucos del *walking*

Como ya hemos visto al principio de este libro, practicar el *walking* es ligeramente distinto a pasear, caminar o marchar. Sus movimientos son perfectamente fisiológicos y consisten en desplazar su peso corporal con el menor esfuerzo posible, y con un máximo efecto de alivio. ¿Una contradicción? No. El movimiento «económico» es el más fisiológico; cualquier esfuerzo significa contracción, tensión, por lo tanto, desarmonía y desequilibrio de todo el organismo.

La intensidad del *walking* es lo que regula el grado de entrenamiento, pero todo movimiento deberá ser siempre suelto, ligero y agradable.

Haga antes unas pruebas de movimiento con cada una de las partes del cuerpo. Apreciará que todas están implicadas. Después, monte el puzzle y goce de la armoniosa colaboración de todas las partes.

Los pies

Con los pies descalzos o con zapatos cómodos, evidentemente sin tacón, intente realizar el movimiento típico del *walking*. Apoye primero el talón, no de forma marcial, sino con suavidad, desplace el peso del pie, a través de toda la planta, haciendo hincapié en el borde exterior. Sienta el paso en toda la longitud del pie hasta los dedos y, por último, con éstos dese un impulso hacia delante. En este momento, el talón del otro pie ya estará a punto para cargar con el peso de su cuerpo y repita la operación. Observe las puntas de sus pies; deberían ser ellas las que marquen la dirección de su caminata, por lo tanto no deberían estar demasiado inclinadas hacia el interior ni hacia el exterior.

Al principio, compruebe de vez en cuando la posición de los pies, pero no adquiera la costumbre de caminar mirando al suelo o a sus pies.

Las piernas

Las piernas no deberán permanecer ni blandas, ni tensas o contraídas. Deberá sentir una agradable tonicidad a lo largo de todos los músculos de las piernas y los glúteos.

Las rodillas

Al contrario de lo que sucede con la marcha, la rodilla deberá estar ligeramente flexionada en el momento en que el talón toca el suelo. De esta forma, podrá distribuir la presión sobre toda la planta del pie. Pero en el momento en que los dedos de los pies impriman el impulso final, la rodilla estará distendida y recta.

La pelvis

La pelvis se encuentra en posición intermedia, ni rotada ni avanzada (hiperlordosis), ni atrasada. No la bloquee. Notará que al caminar se mueve ligeramente en el plano lateral. Este movimiento le hará más ágil y favorecerá el mantenimiento de la cintura. La pelvis debe formar una línea continua y armoniosa con la espalda, que tampoco deberá permanecer curvada, ni hacia delante ni rígidamente echada hacia atrás.

El tórax

El tórax condiciona el movimiento de las piernas y, para convencerse de ello, intente caminar desplazándolo hacia atrás de forma exagerada ¿Debe forzar las piernas para realizar obtener el mismo resultado? ¿Qué sucede con sus muslos cuando se curva?

Los hombros

Si curva los hombros disminuirá la velocidad del caminar y lo hará poco armonioso. Deje caer los hombros hacia abajo, pero no hacia delante; evite contraer los omóplatos como si se tratara de una mal entendida marcialidad.

La cabeza

Toda su postura está condicionada por la cabeza. Imagine que en el vértice de su cabeza tiene una flor que quiere acercase al cielo. O bien, apoye una mano en la parte más alta de la cabeza, después coja suavemente un mechón de cabellos y tírelo hacia arriba. Apreciará que la nuca se alarga y que toda la columna vertebral sigue el movimiento hasta alinearse.

Los ojos

Dirija la mirada hacia un objeto que se encuentre a 4 o 5 metros de distancia como mínimo y a 2 metros del suelo. Ello le permitirá alargarse más.

El rostro

El rostro deberá estar distendido; piense en él de vez en cuando y relaje a conciencia los músculos faciales. Está demostrado que ello favorece la relajación de los músculos de todo el cuerpo. Además, le será más fácil

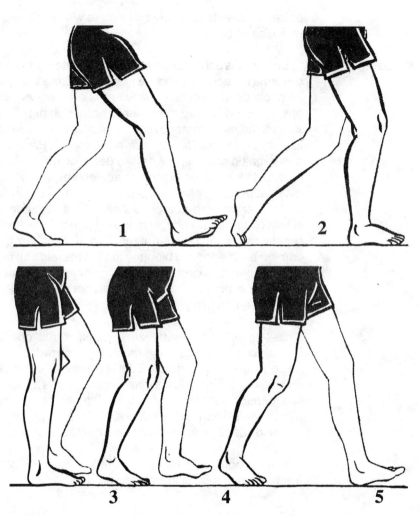

Las piernas

1. En el *walking*, las piernas no deberán estar nunca bloqueadas.

2. La pierna que avanza deberá estar flexible y ligeramente plegada para que la otra no la alcance.

3. El equilibrio y la postura son perfectos si puede detenerse en cualquier momento, como en un fotograma, sin modificar en absoluto su posición.

4 y **5.** Ahora avance la otra pierna... y apóyese en ella, empezando por el talón.

entrar en un estado de ánimo positivo y, a la vez, «estirará» las arrugas.

Los brazos

Los brazos acompañan el movimiento de las piernas de forma colateral. Cuando la pierna derecha se desplaza hacia delante, el brazo izquierdo balancea y equilibra el cuerpo con su movimiento hacia delante. En el *walking* no es obligatorio, pero sí muy aconsejable utilizar los brazos (no los hombros ni los codos). Basta con que haga un prueba para darse cuenta de que el movimiento de los brazos le permite acelerar el paso y además hace más suelta la andadura e incluso contribuye a ejercitar un gran número de músculos. Cuando se sienta observado tienda, al menos al principio, a moderar el movimiento de los brazos. Eso sí, cada vez que camine en libertad, no bloquee los brazos, siga su movimiento pendular controlado hacia delante y hacia atrás, junto al cuerpo. Lo ideal sería mantener el codo a 90°, es decir, en ángulo recto.

Las manos

Las muñecas deberán estar sueltas, al igual que las manos, con los dedos suavemente entrecerrados, pero no con los puños cerrados. Este ejercicio mejora la circulación sanguínea de las manos y ello puede ayudarle si a menudo tiene las manos frías. Sin embargo, al caminar puede ocurrir que los dedos se hinchen ligeramente, por lo que es preferible quitarse antes todos los anillos.

Ahora coordine todos estos detalles, controlándose frente a un espejo, si fuera necesario.

El paso

El paso que resulta de la conjunción de todos estos movimientos es ágil, elástico y ligero, por lo tanto no deberá ser ni rígido ni marcial. Tampoco será excesivamente largo (recuerde el Ejercicio nº 4), por diversos motivos: un paso demasiado largo pone en tensión toda la espalda; aumenta en gran medida el impacto del peso corporal en el talón, con una repercusión negativa en todas las articulaciones; no le permite «aterrizar» con la rodilla ligeramente flexionada, con el inconveniente de que ello carga demasiado los huesos y las articulaciones.

No olvide que los pasos demasiado largos disminuyen la velocidad de la andadura, mientras que si son demasiado cortos y con una secuencia más rápida permiten desplazarse a mayor velocidad.

Salga a dar una caminata para que su cuerpo y su cerebro memoricen con la práctica todos los detalles, para que el *walking* se vuelva espontáneo y natural. Para controlar si todos los detalles técnicos están en armonía, es ideal filmarse con una cámara de vídeo para ver después el resultado en la pantalla del televisor.

Variaciones sobre el tema

Intente caminar alargando y acortando el paso y con distintas velocidades hasta encontrar el ritmo que le vaya mejor.
Experimente variaciones de dirección, camine hacia atrás o de lado. Ello aumentará su flexibilidad y su capacidad de coordinación.

En este momento le interesará saber que existen numerosos niveles y distintos modos de practicar el *walking*. Los nombres que los identifican son todos de origen inglés, debido a que, de momento, donde está más extendido este deporte es en los Estados Unidos. En espera de que se utilicen los términos en castellano indicaremos los de origen inglés.

Indoor walking

En los Estados Unidos existen grupos o personas que practican el *walking* en centros comerciales o en los aeropuertos; muchos de estos recintos cerrados incluso ya disponen de recorridos preparados. En realidad, las condiciones atmosféricas no deberían ser nunca una razón para renunciar al *walking*, porque su variación es un estímulo precioso para nuestras capacidades de

EL PASO (de frente)

Los ojos, atentos, recogen toda la información circundante

La pelvis sigue el paso y se mueve con soltura, en el plano limitado por el eje longitudinal, sin hacer movimientos excesivos de cadera.

Las manos conducen los brazos, que oscilan libres y paralelos al cuerpo. Cuando el paso es más veloz, pueden llegar al nivel de los hombros.

El resultado es una imagen elegante, armoniosa, suelta y de gran efectividad en el desplazamiento hacia delante.

Los hombros están relajados. No están demasiado echados hacia atrás, ni se dejan caer hacia delante.

El tórax acompasa la columna vertebral. Existe una sola línea armoniosa continua, única pero flexible de la cabeza a los pies.

Los brazos oscilan en libertad junto al cuerpo. Nada de mover los codos en exceso ni de avanzar con los puños apretados.

La pelvis se mantiene suelta y flexible. Se desplaza hacia delante junto con la pierna, sin obligar a movimientos de cadera.

Las rodillas no están bloqueadas, sino sueltas, ligeramente plegadas en la fase de «aterrizaje».

La cabeza es el elemento que permite avanzar el cuerpo y determina una alineación perfecta de la espalda, así como de toda la cadena posterior de vértebras y músculos.

adaptación y para nuestras defensas inmunológicas. De todas formas, entre sus paredes domésticas podrá practicar algunos «pasos» particulares para completar su ejercicio.

Qué hay que evitar
- Doblarse hacia delante o inclinar la cabeza hacia delante.
- Contraer las caderas o impulsar el trasero hacia atrás respecto al resto del cuerpo (hiperlordosis).
- Balancear las caderas.
- Contraer los omóplatos hacia arriba o hacia atrás.
- Descoordinar los movimientos de los brazos o mover los codos.
- Plegarse a nivel del tórax.

Bodywalking

El *bodywalking* es sustancialmente el *walking* presentado en este libro, en el que se acuerda una gran importancia a la percepción consciente de todas las reacciones del cuerpo y, al mismo tiempo, la observación del entorno y la naturaleza. Este tipo de *walking* está particularmente indicado para las personas que quieren dar vía libre a la fantasía y a la creatividad; y lo está menos para las personas que quieran practicar un ejercicio deportivo intenso.

También el *health walking* y el *fitness walking* se orientan en la misma dirección.

Powerwalking

El *powerwalking* consiste en andar a la máxima velocidad personal posible. Sólo se aconseja practicarlo tras un entrenamiento adecuado y nunca al empezar a andar, sino sólo después del calentamiento de todos los músculos del cuerpo (el *warm up*).

Speedwalking y *racewalking* son sinónimos de *powerwalking*.

Pacewalking

Pacewalking es un término que se suele usar para designar una combinación de movimientos de entrenamiento que deberán realizarse parado o bien caminando.

Hillwalking

Normalmente cuando subimos una cuesta ralentizamos el paso. Un *walker* (persona que practica el *walking*) ascenderá las cuestas con paso más rápido, aumentado así su frecuencia cardíaca. El *hillwalking* debe practicarse sólo si las condiciones de salud lo permiten y si las pulsaciones son excelentes (*véase* pág. 60)

Atención porque cada subida está seguida de una bajada y está es más relajante para el aparato circulatorio, pero también es más pesada para el aparato osteoarticular, a veces incluso veinte veces más que la subida. Además, al final de la caminata podría estar menos atento, y correr el riesgo de colocar un pie en falso, sobre todo durante el descenso. Por lo tanto hay que recordar disminuir el paso al descender. Los terrenos accidentados y apartados no son ideales para practicar el *walking* y si tuviera que cruzarlos hágalo apoyando los pies con cautela.

Si camina por zonas de alta montaña no olvide que podría experimentar una sensación de euforia y un deseo de caminar sin cesar debido a la rarefacción del oxígeno. No cometa imprudencias si no conoce bien el recorrido y si las posibilidades de refugiarse o de pernoctar no están claras.

Climbwalking

El *climbwalking* es el nivel más elevado de *walking* en subida y requiere resistencia, velocidad y, por supuesto, salud y entrenamiento. Puede practicarse en la montaña o en las escaleras de su casa.

RECUERDE

El walking es el deporte más practicado por los norteamericanos. El 53% de la población de los EE.UU., de más de 12 años (esto es, 93 millones de personas) declaran que caminar es su forma preferida de pasar el tiempo libre.

Ejercicios anteriores y posteriores al *walking*

Antes y después del *walking* es muy conveniente realizar ejercicios de estiramiento tanto para prevenir las lesiones musculares, como para aumentar el efecto aliviante. Éstos son algunos de ellos:

Subir unas cuantas escaleras le será de gran utilidad para alcanzar la «zona aeróbica». Una vez más, podrá detenerse y «tirar» (estirar) los músculos posteriores de las piernas.

Realice un paso adelante, desplace el peso hacia la pierna delantera ligeramente plegada, sin levantar el talón de la pierna posterior. «Tire» hacia delante varias veces, después cambie de pierna.

Dé un paso adelante, flexione las piernas, alargue los brazos y realice torsiones con el busto a derecha e izquierda.

1. Entrelace los dedos y alargue los brazos.

2. Sitúelos estirados, por encima de la cabeza.

3. Por último, póngalos colocados tras la espalda.

4. Levante un brazo, dóblelo y con la otra mano obligue suavemente el codo hacia atrás. Mantenga la posición durante unos segundos. Después repita el ejercicio con el otro brazo.

5. Alargue las piernas y respirando déjese caer hacia delante con la cabeza balanceándose. Realice unas cuantas respiraciones en esta posición. Recupere lentamente la posición inicial, mientras inspira y destense vértebra tras vértebra.

Sprintwalking

El *sprintwalking* utiliza pasos (relativamente) más largos. En una primera fase se reduce su frecuencia para ir aumentándola gradualmente.

Weight walking o wooggin

Para aumentar la intensidad del entrenamiento. se pueden utilizar cinturones de peso que se colocan en las muñecas, antebrazos o tobillos. Es aconsejable practicarlo sólo si ya se tiene una buena experiencia y se goza de un buen entrenamiento.

Dancewalking

El *dancewalking* es una combinación de baile y *walking*, y consiste precisamente en realizar pasos y movimientos de preparación para el *walking* sin prácticamente moverse o bien moviéndose en un espacio limitado, interior o al aire libre, al son de una música grabada o bien que sólo existe en su propia cabeza.

El *dancewalking* puede ser delicado, suave, bastante lento o bien rápido, rítmico, incluso realizado con pesos suplementarios (cinturones de peso).

El antes y el después

Los norteamericanos llaman *warm up* al calentamiento precedente al ejercicio y *cool down* al enfriamiento posterior al *walking*. Levantarse de una silla, al cabo de horas de inactividad física, salir corriendo a toda velocidad y al final pararse por completo es poco saludable. Las fases de pasaje son necesarias porque permiten al aparato cardiocirculatorio adaptarse, a los músculos calentarse gradualmente (evitando esguinces) y enfriarse lentamente después.

Puede iniciar su caminata con un paso relativamente lento, llegar a la «marca» con gradualidad y aflojar de nuevo en los cinco últimos minutos, para que así su organismo pueda adecuarse a la marcha de reposo y prevenir un estrés circulatorio.

Gradualidad y regularidad

El *walking* es una actividad deportiva suave y fisiológica. Pero si hace tiempo que no practica ningún deporte, afróntelo con cierta gradualidad. No existen reglas fijas, sino que su organismo determinará la evolución.

Al principio no se exceda aunque se sienta bien y quizá desee caminar durante horas.

En primer lugar, su paso deberá ser relativamente lento. No se preocupe, con el tiempo será más veloz. De esta forma podrá permitirse practicar el *walking* todos los días sin respetar la regla, válida para los principiantes de otros deportes, de intercalar días de reposo.

La duración de las salidas también deberá aumentar de forma gradual. Un método sencillo, pero eficaz de comprobar si está exagerando es el aliento: no deberá faltarle nunca y mientras sea capaz de mantener una conversación tranquila, todo irá bien. Para obtener resultados apreciables y duraderos es necesario una práctica regular. Practicar el *walking* dos veces al mes no modifica mucho su nivel de forma física, y si cree que la recuperará excediéndose en la duración o en la intensidad, se cansará inútilmente. Por lo tanto intente fijar las salidas, por ejemplo, dos, tres o cuatro veces por semanas y realizar un *walking* «como es debido». O bien programe una salida cada noche después de cenar, por ejemplo cuando saca a pasear al perro o simplemente para estirar las piernas y no dormirse frente al televisor.

Unos ejercicios de estiramiento para empezar y terminar

También puede practicar unos ejercicios gimnásticos para hacer más eficaces el calentamiento y el enfriamiento. El estiramiento es muy indicado para ello puesto que favorece, precisamente, el estiramiento de los músculos y previene la aparición de lesiones musculares (esguinces y tirones). Puede decidir realizar ejercicios que estiran grupos determinados de músculos y ejercicios que alargan cadenas enteras (en particular, la llamada cadena posterior que abarca desde las vértebras cervicales hasta la punta de los pies).

Si no tiene ganas de hacer gimnasia, pero desea «activar» el metabolismo para realizar un *walking* intensivo, puede subir y bajar varios tramos de escaleras.

Todas las fases del *walking* son más eficaces si antes se concentra unos segundos sobre el objetivo que quiere obtener. Visualice, por ejemplo, los músculos posteriores de sus piernas, los que desea estirar y calentar para hacerlos más eficaces al caminar y más protegidos de tirones. «Penetre en su propio cuerpo» con el ojo de la mente. Así, cualquier movimiento será más suave y más consciente.

UN PROGRAMA A MEDIDA

Determinar en qué medida y qué tipo de *walking* hay que practicar depende sobre todo de los objetivos que usted se imponga y por lo tanto, de su motivación y del tiempo que consiga arrebatar a sus quehaceres cotidianos.

Pero aunque esté muy ocupado, recuerde que el ejercicio físico le permite recuperar la forma, aumentar su ritmo y hasta permite aprovechar mejor el tiempo...

De todos modos, para evitar dejar para mañana los buenos propósitos, fíjese un horario para el *walking* y respete siempre el tiempo establecido tal y como se hace con las obligaciones del trabajo. ¿Y por qué no anotarlo incluso en la agenda?

Fíjese un horario

Empiece con un mayor número de «citas» (también diarias), cada una de una duración relativamente breve (30 minutos aproximadamente). Pasado un tiempo, se puede practicar el *walking* por ejemplo tres veces por semana durante 40 o 60 minutos. También se puede optar por fijar excursiones obligatorias para el fin de semana y una serie de breves entrenamientos entre semana.

Si por naturaleza es usted un adicto al trabajo o un perfeccionista, procure no caer en la tentación de excederse, de imponerse metas cada vez más ambiciosas o de intentar batir un nuevo récord. Sin embargo, mientras que este riesgo se corre fácilmente con deportes como la gimnasia o el *jogging,* debido al deseo que tiene el deportista por superarse, en el *walking* apenas sí existe. Caminar al aire libre en cualquier condición atmosférica ayuda a entrar en contacto con el ritmo de la naturaleza... ¡y con el del propio organismo!

Encuentre su ritmo personal

Cada uno de nosotros tiene un ritmo muy personal. Esto se observa claramente, por ejemplo, en la manera de hablar, ya que el número de palabras que se pronuncian por minuto varía en cada persona. Algunos intercalan pausas en el discurso, otros acentúan o enfatizan empleando timbres distintos de la voz, otros hablan tan rápido que apenas toman aliento y mil casos más.

Incluso en el andar se expresan el carácter y la personalidad de cada persona, y por esta razón no existe una sola manera ni un solo ritmo para todo el mundo. No se preocupe si usted practica el *walking* con otras personas. Difícilmente todas tendrán las mismas necesidades y es justo que, al menos en algunos momentos, cada uno vaya a la velocidad que más le conviene, quedando rezagado o adelantando a los demás.

Si intenta recorrer un tramo largo (obviamente, tras un entrenamiento adecuado), es conveniente mantener un ritmo constante durante todo el entrenamiento, a excepción del calentamiento o el enfriamiento. Conseguirá un mayor rendimiento y se cansará menos. A partir de un cierto punto, el cuerpo anda «solo» y sin el mínimo esfuerzo:

Una marcha irregular, a «tirones», aumentando y disminuyendo la velocidad con frecuencia, puede afectar tanto al cuerpo como al espíritu.

Aprenda a calcular su ritmo cardíaco

Para encontrar el ritmo que más se adecua a su propio bienestar, basta confiar en el propio instinto. Pero si para usted el *walking* es un medio «técnico» de preparación física y confía en la eficacia de los instrumentos técnicos y de los datos elaborados por los expertos, puede calcular su ritmo cardíaco ideal gracias al efecto aeróbico, o sea, «quemando» una determinada cantidad de calorías sin fatigar en exceso el aparato cardiovascular.

El corazón bombea la sangre por todo el cuerpo continuamente por contracción y dilatación. El número de latidos, que puede advertirse en la muñeca y en numerosas zonas del cuerpo donde las arterias discurren muy superficialmente, recibe el nombre de frecuencia cardíaca. Durante la realización de un gran esfuerzo físico, esta frecuencia puede incluso llegar a triplicar el número de latidos de un corazón «en reposo». Al mismo tiempo, la velocidad y la profundidad de la inspiración aumenta.

En una persona que no está acostumbrada a practicar ejercicio, realizar un mínimo esfuerzo físico, como por ejemplo subir algunos escalones, puede acelerar el pulso. Gracias al entrenamiento, el ritmo cardíaco se mantiene regular en períodos de tiempo cada vez más largos y bajo un esfuerzo cada vez más intenso.

Estar en forma no es un derroche de energía sino que, al contrario, constituye una buena manera de ahorrarla. Por ejemplo, el corazón de una persona que practica regularmente algún tipo de ejercicio físico, aumenta en su volumen total y en el espesor de las paredes, pero en compensación late mucho menos, alrededor de 15 latidos menos por minuto, si se compara con un corazón que no «practica» ningún ejercicio físico.

Para saber si se está realizando una actividad aeróbica o anaeróbica, hay que calcular el propio ritmo cardíaco. Si el número de pulsaciones se sitúa entre el 85 y el 100% de la frecuencia máxima (220 pulsaciones menos el número de años que se tiene), nos encontramos frente a un cuadro de actividad anaeróbica. Al organismo le falta oxígeno y uno de los productos de «deshecho», el ácido láctico, impide la asimilación de los lípidos y provoca cansancio y dolor muscular.

Si sus pulsaciones se sitúan entre el 60 y el 70% de la frecuencia máxima, es que está realizando una actividad aeróbica.

Se puede tomar el pulso manualmente o con un aparato especial (*véase* pág.88).

Para tomarse el pulso manualmente, siga los pasos siguientes:
- tenga un reloj con segundero bien a la vista;
- haga el calentamiento y después camine de prisa durante unos minutos;
- apoye los tres dedos medios (el índice, el corazón y el anular) en la cara interior de la muñeca, entre los huesos y los tendones, ligeramente orientados hacia la cara exterior, hasta que sienta los latidos del corazón;
- cuente las pulsaciones con un reloj durante 15 segundos;
- multiplique el número de pulsaciones por 4 y el resultado obtenido será la frecuencia cardíaca actual por minuto.

RECUERDE

¿Desea simplemente mantenerse en forma? Entonces basta que su frecuencia cardíaca se encuentre en los límites mínimos. Si en cambio, lo que desea es mejorar sus condiciones físicas, practique un *walking* más intenso, de manera que sus pulsaciones se sitúen en el margen superior indicado para su edad.

Las pulsaciones de entrenamiento

Las pulsaciones de entrenamiento tienen en cuenta las variables individuales, respetando un buen margen de seguridad y puede calcularse de la siguiente manera:

220 latidos cardíacos menos su edad (número de años) dividido entre 100 y multiplicado por 75 = número de pulsaciones ideal durante el entrenamiento.

Un ejemplo práctico: Usted tiene 40 años. Calcule 220 menos 40 = 180. El 75% de 180 es 135;135 pulsaciones por minuto es el número ideal de pulsaciones de entrenamiento durante un ejercicio intenso y prolongado. Si por el contrario, es usted un «principiante», calcule sólo el 60% de la frecuencia máxima, de manera que su número de pulsaciones, en el ejemplo citado, sería de 108 .

Para estar seguro de que está trabajando dentro del «margen ideal», controle regularmente que el ejercicio realizado le permite mejorar gradualmente sus condiciones físicas sin cansarse inútilmente y sin correr ningún tipo de peligro.

Si la frecuencia hallada se sitúa por encima de su nivel ideal, es decir, en lo que considera dentro de la zona anaeróbica, reduzca la marcha.

Si en cambio el resultado se sitúa por debajo del límite mínimo establecido y se siente en condiciones de andar un poco más rápido, hágalo pues, pero es conveniente controlarse.

Vuelva a tomarse las pulsaciones regularmente para comprobar que está realizando un ejercicio aeróbico.

Es probable que al cabo de unos meses (o incluso después de algunas semanas) de entrenamiento intensivo, note que sus pulsaciones son inferiores a las del principio. En este caso, puede acelerar tranquilamente el ritmo de la marcha o prolongar el paseo, o incluso si le es posible, escoger un recorrido cuesta arriba, o usar cinturones de pesas durante la marcha para aumentar el esfuerzo físico.

FRECUENCIA DEL NÚMERO DE PULSACIONES DE ENTRENAMIENTO DE 20 A 70 AÑOS
En esta tabla, la columna de la izquierda indica la edad (de 20 a 70 años) a la que corresponde una frecuencia máxima (100%) y una frecuencia de entrenamiento que varía del 60 al 80% del número máximo de pulsaciones.

Edad	Frecuencia máxima	Frecuencia de entrenamiento		
	100%	60%	75%	80%
20	200	120	150	160
25	195	117	146	156
30	190	114	143	152
35	185	111	139	148
40	180	108	135	144
45	175	105	131	140
50	170	102	128	136
55	165	99	124	132
60	160	96	120	128
65	155	93	116	124
70	150	90	113	120

Aprenda a respirar

La respiración está estrechamente ligada al latido cardíaco ya que ambos siguen el mismo ritmo. Un corazón que late más rápido incita a la respiración a hacer lo mismo y cuando reducimos el ritmo de la respiración, conseguimos tranquilizar un corazón que late como un loco.

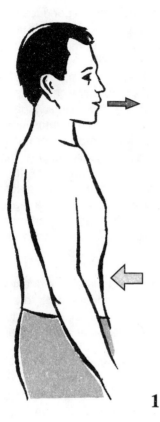
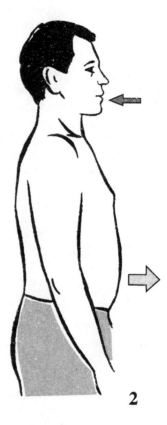

1

2

La respiración

1. Espire larga y profundamente. Ayude a vaciar los pulmones contrayendo el abdomen.

2. Ahora deje que el aire entre libremente a través de las fosas nasales. Notará que el abdomen se dilata. Manténgalo blando y relajado durante toda la fase de inspiración.

La respiración es la única función corporal autónoma y continua que puede ser controlada por nuestra propia voluntad. De hecho, respiramos normalmente sin darnos cuenta, pero también podemos controlar la duración y la profundidad de nuestra respiración.

El aire es nuestro alimento más importante. Se puede sobrevivir algunos días sin beber y semanas enteras sin comer, pero pocos minutos sin respirar. Cuando nos movemos, y sobre todo cuando caminamos, conseguimos asimilar mejor este «alimento». El organismo se procura automáticamente el oxígeno suplementario que necesita y por eso nos hace respirar a un ritmo más rápido y de un modo más profundo. Esto fortalece nuestro aparato respiratorio y por lo tanto nuestra vitalidad (la oxigenación de los tejidos es de una importancia vital) y «paralelamente» alivia las tensiones tanto musculares como físicas.

Adapte la respiración a la marcha

Practicar el *walking* es una excelente ocasión para mejorar la respiración. Sin necesidad de forzarla, se puede encontrar un ritmo armonioso que se adapte a nuestra marcha. Sólo hay que hacer algunos ejercicios.

- Camine rápido e intente respirar de un modo «desordenado» e irregular.
- Luego espire mientras da tres pasos, inspire durante los próximos tres pasos y siga así unos minutos.
- Pruebe varias «longitudes» de respiración, siempre adecuadas a su ritmo de marcha (la espiración no debe ser necesariamente igual a la inspiración, sino incluso más larga).
- ¿Qué diferencias advierte?

Respire por la nariz

Disfrute del «filtro de aire» del que nos ha dotado la naturaleza. La nariz cumple la función de calentar y humedecer el aire en el grado justo y de eliminar las posibles impurezas. La espiración también puede realizarse a través de la boca, pero no se aconseja durante el invierno porque, en ese caso, la nariz se enfriaría demasiado. Además, la espiración a través de la boca induce fácilmente a cometer el error de caminar por encima de nuestro nivel aeróbico. ¿No tendemos a menudo a jadear cuando tenemos la boca abierta?

Realice pruebas

Ahora haga otra prueba para advertir la profundidad y la eficacia de su respiración.
- Camine «observando» su respiración.
- ¿A qué altura siente que llega el aire? ¿A qué altura de la clavícula, del pecho, del ombligo y del abdomen?
- El filósofo chino Zhuang-zi (Chuang Tzu) dijo una vez que «El hombre sabio respira con los talones», para indicar que la energía tiene que ascender de abajo a arriba y que la respiración tiene que ser verdaderamente profunda y consciente, implicando a todo el cuerpo.
- Deténgase y túmbese en el suelo. Haga algunas respiraciones lentas y conscientes. Espire lo más profundamente posible, contrayendo el abdomen.
- Inspire lentamente, dilatando primero el abdomen y luego, poco a poco, también el tórax. ¿No tiene la sensación de haber tomado una buena bocanada de aire?
- Cuando haya recuperado el ritmo, intente respirar de la misma manera también mientras camina.

Reducir el ritmo de la respiración tranquiliza la mente

Reducir el ritmo de la respiración es un ejercicio de yoga para calmar la agitación del pensamiento.
- Intente practicar el *walking* a su ritmo habitual, reduciendo el ritmo de la respiración. ¿Qué es lo que advierte?

El movimiento «ideal»

Si tuviera que describir su modo de andar, ¿qué adjetivo escogería?: enérgico, desenvuelto, forzado, relajado, formal, elegante, desgarbado, felino ¿o todavía utilizaría más adjetivos?

¿Por casualidad ha dicho «normal»? Entonces mire a su alrededor. No encontrará dos personas que anden de la misma manera, mientras que no advertiría ninguna diferencia en el modo de andar de dos gatos, dos perros o dos caballos. El movimiento del hombre

está mucho más influenciado por aspectos culturales
y psicológicos. El modo de moverse refleja la propia
personalidad.

*Encuentre su
mejor movimiento*

Después de haber practicado un poco con la técnica
del *walking*, veamos hasta qué punto la ha «interioriza-
do». No existen contraindicaciones que puedan atribuir-
se a este deporte especialmente «libre» en cuanto a
exigencias se refiere, pero en general, alejarse del
modelo «ideal» o personalizarlo, comporta un derroche
considerable de energía. Por «ideal» entendemos un
movimiento que haga sentir bien al que lo realiza, que
no produzca cansancio ni provoque tensiones o agotamiento, que sea funcional y ayude a ahorrar energía.
Además, este movimiento resulta ser el más agradable
a la vista, el más elegante. Esto no significa que tenga
que ejecutar un movimiento estereotipado. La constitu-
ción de cada persona es la que determina cual es el
mejor movimiento.

Haga otra prueba, si le es posible póngase frente a un gran espejo. Siga cada movimiento incluso «desde dentro», sienta cada detalle como si lo estuviese filmando desde su interior.

1. Póngase en pie. Túmbese.

¿Qué músculos ha empleado?

¿Cómo siente los músculos de la espalda, del abdomen, de la nuca y de la espalda?

Observe bien la imagen que se refleja en el espejo. ¿Parece rígida o forzada?

Ahora inclínese hacia delante, deje colgar los brazos balanceándolos un poco. Después incorpórese imaginando que un hilo que sale desde el centro de su cabeza tira de usted hacia arriba, como si quisiera llegar al techo (o al cielo).

Observe su imagen.

¿Ha contraído algún músculo? ¿Están como al principio o más bien se han estirado?

¿Se siente más «alto» que antes de tumbarse por primera vez? ¡De hecho, debería ser así!

¿En qué posición está la espalda? ¿Y la pelvis?

¿La curva lumbar está más pronunciada o menos?

2. Observe las figuras de la página 69

¿A cuál de ellas se parece más su «eje» de alineación?

Pruebe todas las posturas y experimente qué sensación de estabilidad le ofrece cada una, en qué medida le provocan cansancio y si es muy difícil mantenerlas.

3. El sentido del equilibrio debería mejorar con el movimiento, sobre todo cuando anda. Haga otra prueba.

Intente dar unos pasos realizando un esfuerzo muscular exagerado.

Ahora vuelva a dar los mismos pasos centrando su atención en su «eje ideal» y en el equilibrio, pero empleando el mínimo esfuerzo muscular. Intente visualizar el cuerpo que se mueve hacia delante y las piernas que siguen su movimiento.

Ande un poco en esta posición. ¿Cómo se siente? ¿Continuaría andando durante horas? Muy bien. ¡Ésta es la mejor manera de entrenarse!

4. El suelo equilibra su peso. ¿Pero cuál es la zona del pie en la que debe cargar todo el peso para mantener el equilibrio y cansarse menos? Intente hacer otra prueba.

De pie, cargue casi todo el peso de su cuerpo sobre los talones.

Ahora trasládelo sobre los dedos del pie.

Balancee el peso unas cuantas veces hacia delante y hacia atrás hasta que encuentre el punto ideal. Seguramente se encuentra en algún punto de la parte central del pie. Observe también en qué dirección oscila el peso.

Durante el *walking*, hay que apoyar todo el pie, primero el talón y luego los dedos de manera que el peso oscile de una parte a otra del pie.

Cuando el peso «pase» sobre la parte central del pie, compruebe si es el lado de fuera el que trabaja más. De hecho, debería ser así, pero recuerde que el talón está adosado al centro del pie.

5. Cuando no esté seguro de si un movimiento es correcto o no, sólo tiene que hacer unos ejercicios.

Escoja un movimiento que estire y contraiga su cuerpo y cada uno de los músculos.

Escoja el que requiera un menor consumo de energía.

Realizar un menor esfuerzo muscular no significa tener menos cuidado. ¡Al contrario! Requiere una gran concentración sobre todo al inicio del ejercicio. De hecho, son las viejas costumbres las que nos hacen contraer los músculos de un modo antifuncional, poco elegante y que nos hace gastar más energía de la necesaria. Relajar la tensión de los músculos es incluso más cansado que mantenerla.

6. He aquí otro ejercicio que pone una dura prueba a su equilibrio.

Dé algunos pasos de *walking*, pero sin forzar demasiado la marcha.

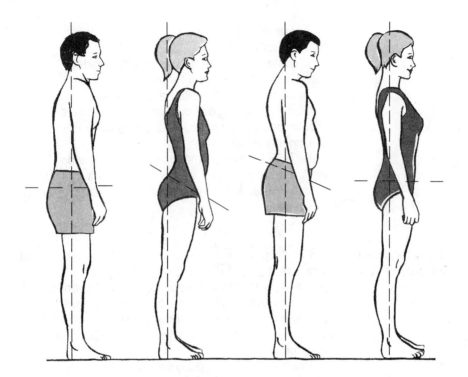

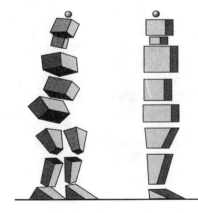

Observe estos dibujos y piense en su postura ideal. ¿Con cuál de estas imágenes se identifica más?

Respecto al eje central, su cuerpo está desplazado hacia delante (lordosis) o hacia atrás (cifosis) o desalineado de otra manera?

¿Los hombros están altos y contraídos o se inclinan hacia delante?

Intente imaginarse en una postura correcta, bien alineada y guarde esta imagen en su interior cuando se disponga a practicar el *walking*.

Recuerde: la cabeza, o sea, la coronilla (la parte superior del cráneo), es la que «rige» la postura.

Ahora intente detenerse y permanecer inmóvil durante unos instantes.

Ejecute el movimiento a la inversa, es decir, camine hacia atrás, siempre sin forzar la marcha.

Si en ningún momento ha sentido la necesidad de estirar los brazos o de contraer los músculos, especialmente los de la espalda, es que su equilibrio es verdaderamente excelente.

Se puede mejorar posteriormente realizando los mismos ejercicios en un tramo de escaleras: reducir la marcha, detenerse y ejecutar el mismo movimiento pero hacia atrás.

Camine con los cinco sentidos

Podríamos movernos igualmente con los ojos vendados, con la nariz y los oídos tapados y con todos los poros de la piel tan cubiertos que no pudiéramos sentir ni la brisa ni la caricia del sol. Es cierto, nos moveríamos igualmente pero nos perderíamos mil sensaciones importantes y gran parte del placer que experimentamos al caminar.

Practicando el *walking* correctamente, no sólo se ejercita el aparato cardiovascular y el aparato locomotor (músculos, tendones, etc.), sino que se agudizan los sentidos y despierta nuestra atención. ¿Por qué no aprovechar al máximo estas ventajas y convertir un paseo en una experiencia completa?

La vista

Tal vez nunca haya imaginado cuantas cosas se pueden ver durante un paseo hasta que no haya tenido la ocasión de comprobarlo. Al acostumbrarse a hacer sus desplazamientos en coche o «a toda velocidad», ha perdido el contacto con el medio que le rodea. Ya no se da cuenta de que el balcón de la casa vecina está inundado de flores, o de la extraña estructura de la corteza de un árbol o de ese nido de mirlos y petirrojos, o de las violetas u otras flores que están floreciendo incluso en los lugares más insospechados.

Caminar mientras se observa constituye un excelente estímulo para convertirnos en una de esas personas extrovertidas, creativas, que siempre están buen humor, e incluso para llegar a ser objetivos y dueños de nosotros mismos ante cualquier situación.

Si se camina con la cabeza alta, la nuca distendida y los ojos moviéndose libremente, la mirada podrá ir más allá y captar una infinidad de información que nos servirá para distinguir de lejos cualquier obstáculo del recorrido.

El oído

Nuestro oído es selectivo tanto para defenderse del impacto de fuertes ruidos, desagradables o continuos, como para captar sólo los mensajes que nos interesan, aislándolos del resto (por ejemplo, la conversación de un compañero en medio del ruido del tráfico). Sin embargo, esto nos ha hecho parcialmente «sordos», es decir, poco perceptivos ante una determinada serie de sonidos. Si nos alejamos del ruido de la ciudad (a veces basta pasear por un parque), muchas veces nos quedamos estupefactos al percibir el murmullo del agua. El agua que mana de una fuente, de un grifo, o de la roca; el agua que discurre por un riachuelo o por un canal o el chapoteo del agua bajo nuestro paso distraído. Cuando los ruidos intensos que están próximos a nosotros disminuyen, somos más receptivos respecto a los que nos son más lejanos. La risa de un niño, el trino de las golondrinas y el graznido de las cornejas

Durante su próxima salida, sea cuál sea el lugar a dónde vaya, intente prestar atención a los ruidos que capta, desde los más fuertes hasta los que son casi imperceptibles.

*Preste atención a
todos los ruidos,
incluso a los de
sus pasos*

Escuche también el ruido de sus pasos. Éstos cambian según el terreno sobre el que se camina, como por ejemplo hojas, grava, tierra, arena o asfalto. Advertirá en seguida que el paso de cada uno posee un ritmo personal, casi inconfundible, aunque cada persona aplica la misma técnica del *walking*. Agudice el oído, escuche el ruido de sus pasos e intente convertirlo en un sonido armonioso y suave, como si de música se tratara. También puede detenerse y, con los ojos cerrados, intentar identificar el paso de sus compañeros de *walking*.

Escuchar el ritmo de sus propios pasos puede ser útil para «desconectar» de las preocupaciones y los problemas cotidianos. Si se resisten a desaparecer, ¡aumente el ritmo!

El olfato, el sentido de la memoria

Las mucosas nasales son instrumentos muy finos que nos permiten captar y transmitir al cerebro mensajes olfativos muy diferentes. Además, este sentido está íntimamente ligado al plano emotivo y a la memoria. ¿Nunca le ha sucedido que al aspirar el aroma de un determinado guiso ha revivido con el ojo de la mente una escena lejana en el tiempo, tal vez de su infancia?

Si camina con las «narices abiertas» percibirá una insospechada riqueza y variedad de perfumes, sobre todo si se encuentra cerca de un jardín, en el campo o en el bosque.

Pero incluso cuando camine entre las casas, su nariz tendrá mucho que «contarle» sobre las costumbres de las gentes que habitan en ellas gracias al aroma de sus guisos y a la colada tendida en los balcones.

El tacto

Nuestra piel transmite al sistema nervioso, y éste, a su «jefe», el cerebro, un gran número de informaciones, por ejemplo sobre la temperatura, el movimiento del aire y el tipo de contacto con diversos materiales. Estos mensajes pueden interpretarse como placenteros, desagradables o a veces dolorosos.

Cuando la temperatura es suave, obviamente tendrá la oportunidad de exponer al aire libre una mayor superficie de piel, pero incluso con el frío más glacial, una parte del rostro captará mensajes del medio que le rodea. Présteles atención y disfrute de ellos.

¿Nunca ha sentido la calidez de su aliento mientras camina? El aire que se inspira es sensiblemente más frío que el que se arroja al exterior, pero el aliento también puede tener otras características: gaseoso, húmedo, seco, «pesado», etcétera.

Sienta cómo sus pies entran en contacto con el terreno

El tacto es fundamental incluso para los pies. Intente entrar en contacto con el terreno, sintiendo en cada punto de la planta del pie su composición y su textura. Notará rápidamente que el pie se despierta y está más receptivo, adaptándose mejor a cada tipo de terreno. ¡De esta manera se evitan luxaciones y caídas!

El gusto

El gusto está íntimamente ligado al olfato. De hecho, las papilas gustativas de nuestra lengua apenas pueden distinguir cuatro sabores: dulce, amargo, salado y agrio. El resto, es precisamente una «cuestión de olfato».

El ejercicio estimula el apetito

Una excursión también puede convertirse en un día de fiesta para el paladar. Se sabe que el ejercicio, especialmente al aire libre, abre el apetito y hace que todo sea más sabroso, incluso la sencilla merienda que ha preparado en casa. Pero si tiene la posibilidad de degustar alguna especialidad de la región, puede que la excursión se convierta en un día inolvidable, incluso desde el punto de vista gastronómico.

Intente sentir sus pies
Este es un ejercicio práctico y agradable. De pie, con los ojos cerrados «sienta» sus pies, su contorno, su calor, el modo en que se apoyan sobre el terreno, cómo cargan el peso de su cuerpo. Balancéese un poco en todas direcciones. Imagine que ha echado raíces en el terreno, luego vuelva a balancearse, ¿nota alguna diferencia? ¿Qué relación mantienen los pies con la cabeza? Examine con el ojo de la mente los músculos y los tendones que unen las dos extremidades del cuerpo y sienta en la cabeza cada paso que da.

No olvide la música

Hubo un tiempo en que todos los ejércitos realizaban sus desplazamientos a pie, al son de tambores y cornetas, acompañados por el canto de las tropas. Evidentemente, los generales sabían que cantar levanta la moral, alivia el cansancio, aumenta las ganas de caminar y mejora el ritmo y la resistencia, gracias a que se potencia la respiración.

La tradición alemana, andar cantando

El *Wandern,* que según se cree ha dado origen al *walking* y que de todos modos es la forma de caminar que más se le parece, ha estado siempre íntimamente unido a la música, o mejor dicho, al canto. Toda estudiante alemana, suiza o austríaca que vaya a pie a cualquier parte lo hace cantando en grupo, y a veces a varias voces. Existen centenares de *Wandernlieder,* canciones de *Wandern* y basta tatarear alguna de ellas para darse cuenta de que… en efecto, invitan a caminar. El ritmo no es forzado como el de las marchas militares o el de los himnos conmemorativos, sino condensado y muy suave. Los textos están a menudo inspirados en la propia alegría del *Wandern,* en el contacto con la naturaleza y en las vivencias de los caminantes.

Algunas baladas y canciones, así como ciertas sinfonías y fantasías, están inspiradas en la tradición del *Wandern* (tal y como se observa claramente en los títulos de algunas obras, como por ejemplo la *Wanderersymphonie* de F. Schubert o de F. Liszt), pero no siempre los temas de estas canciones se prestan a ser cantados mientras se camina.

Escoja el ritmo adecuado

Naturalmente, no todas las músicas resultan adecuadas para caminar. Intente cantar o simplemente tatarear un vals con la boca cerrada o mentalmente y comprobará que puede dar algunos pasos de baile, cosa imposible si se practica un *walking* intenso.

Dicho de otra manera, se necesitan compases «binarios», sobre todo el 2/4, o el 2/2 y también el 4/4.

Inténtelo al ritmo de alguna canción de los Beatles, por ejemplo *Yellow submarine, Ob-la-di, Ob-la-da* o bien canciones para niños.

Cuidado con los auriculares

La tentación de caminar con los auriculares puestos es obviamente muy grande. De hecho, en otros países ya existen cintas especiales para practicar el *walking*, con instrucciones técnicas para principiantes y música con ritmo adecuado a las diversas fases del *walking*. Mú-

---

RECUERDE

Cuidado con la música rock y heavy metal, que se escuchan tan a menudo no sólo en las discotecas sino también en los gimnasios, porque su ritmo es tan intenso que puede llegar a convertirse en un movimiento verdaderamente convulsivo. El llamado «ritmo anapéstico interrumpido» (breve, breve, largo, pausa) puede crear adicción y dañar no solo los tímpanos (es un ritmo que se pone a menudo a un volumen demasiado alto), ¡sino también el corazón! Se ha estudiado el fenómeno a través de tests cinetológicos que miden la fuerza muscular en relación a determinados estímulos. Además, parece que el sonido anapéstico produce un fenómeno llamado *switching*, que provoca la pérdida del funcionamiento simétrico de los dos hemisferios cerebrales.

Las consecuencias son las siguientes: dificultad de percepción y mayor propensión a cometer errores, cuadros de estrés, disminución del rendimiento, ansiedad y dificultad en el momento de tomar decisiones.

No es suficiente bajar el volumen para evitar este fenómeno. Acostumbrarse a este ritmo puede resultar nocivo porque la persona que escucha esta música tiene la sensación de tener más energía y resistencia.

Estar al aire libre es una manera de evitar el *switching*. Mientras practique el *walking* intente buscar otro tipo de «dieta sonora» y recuerde que, durante un entrenamiento intenso, escuchar música a un volumen demasiado alto representa un gran esfuerzo para el oído y a veces puede causar daños irreparables.

---

sica más lenta para el calentamiento y el estiramiento y con más ritmo para cuando se está en pleno entrenamiento. De todos modos, usted mismo puede grabar cintas con su música preferida.

No son pocas las razones que existen para desaconsejar el uso de los auriculares.

• Se puede convertir fácilmente en una costumbre y no en algo que se hace sólo muy de vez en cuando.

• Para las personas que caminan por las calles llenas de tráfico o para el que simplemente tiene que cruzar una calle, el hecho de no advertir el ruido de un coche que se acerca puede resultar peligroso.

• Se pierde la oportunidad de afinar el propio oído y de captar los ruidos más imperceptibles durante una excursión por el bosque o la montaña.

• También tiende a bloquear los otros sentidos, de manera que se pierden los efectos típicamente beneficiosos de las excursiones al aire libre, o sea que perdemos la oportunidad de volvernos más atentos y despiertos.

• El pensamiento tiene más dificultad en discurrir libremente.

• Escuchar música puede provocar una cierta pasividad, a diferencia de cuando ésta se produce espontáneamente, gracias al canto o al ritmo de nuestros propios pasos.

• El canto mejora la respiración, escuchar música con los auriculares puestos no.

Entrenarse para el *walking*, el *walking* como entrenamiento

El *walking* es de por sí un entrenamiento perfecto para practicar algunos deportes. Como entrenamiento para los deportes aeróbicos como el esquí de fondo o la natación (pero también el ciclismo, el *jogging* o la danza), practicar el *walking* resulta útil cuando no se dispone de pistas de nieve o piscinas; para los deportes anaeróbicos o de inmersión, el *walking* sirve de ejercicio de calentamiento o complementario (en este caso es especialmente útil la parte del *stretching*, es decir el estiramiento al principio y al final) o como fase de entrenamiento más suave, por ejemplo el que se ejecuta con pesas. •

Un buen entrenamiento para deportistas

En este caso, el *walking* constituye un entrenamiento menos intenso (excepto el *walking* que se practica cargando pesas, *weightwalking* o el *walking* en pendiente, *climbwalking*), pero en compensación prepara armoniosa y eficazmente todo el organismo como ningún otro deporte.

Si practica el *walking* para acostumbrarse a andar a la velocidad que dicta el estado de ánimo o la intuición, escoja un ritmo y una duración del paseo que responda exactamente a las exigencias del entrenamiento. Puede programar varias fases de entrenamiento, cada una de ellas con una finalidad bien precisa y que hay que llevar a cabo durante todo el año. Es lo que los americanos llaman *workout*, el conjunto de una serie de técnicas gimnásticas con un fin determinado.

Caminar jugando

Éstas son algunas de las variantes que pueden hacer que la práctica del *walking* sea más entretenida y divertida.

● Escoja a voluntad diferentes recorridos. Por ejemplo, abandone el camino principal o la carretera asfaltada y camine el lateral, sobre la hierba o la grava (disminuye la velocidad, pero así también varía el entrenamiento).

● Camine por la orilla del mar. De cuando en cuando entre en el agua y sienta la resistencia que ésta le opone, luego experimente lo cansado que es caminar por la orilla del mar.

● Varíe la longitud de los pasos, la velocidad o el punto de apoyo (talón, punta, borde interior del pie y borde exterior). Este juego puede ser una ayuda excelente para estimular la rapidez de los reflejos.

Una persona cambia de paso o de punto de apoyo y los otros tienen que imitarlo lo más rápido posible. El primero que haya seguido y ejecutado los mismos movimientos será el «guía» del próximo juego.

● Cambie la dirección de la marcha y camine de lado o hacia atrás. Naturalmente tiene que hacerlo con destreza, mejorando así la coordinación de sus movimientos.

● Haga como los «indios». Camine agachado durante el máximo de tiempo posible e intercale de vez un cuando algún salto o carrera.

Intente escoger tramos con obstáculos como troncos caídos, hoyos, riachuelos, que disminuyen el ritmo de la marcha, pero divierten a los niños y estimulan la fantasía de los adultos.

● Escoja entre estos tres juegos: con los ojos vendados, adivine de qué planta se trata sólo con la ayuda del tacto, camine en fila india cogido a una cuerda (naturalmente, el guía del grupo no lleva los ojos vendados) o adivine quién está frente a usted sólo a través del tacto o escuchando el ruido de sus pasos.

● Camine como los sherpas del Himalaya, llevando algún peso sobre la cabeza.

● Una antigua técnica tao es la de dejarse llevar por el viento. Cambie de dirección y de velocidad cuando cambie el viento; naturalmente, siempre en espacios abiertos.

● Imite el paso y los movimientos de los animales. Las danzas sagradas de la India han identificado muchos pasos y movimientos típicos de algunos animales, por ejemplo el caballo que alza las pezuñas cuando se dispone a saltar, el felino que camina sobre la punta de los pies y de pronto da un salto, la serpiente que se mueve sinuosa y ondulante, el cisne que se contonea, etc. También constituye un ejercicio excelente para observar más atentamente las costumbres de los animales.

Si por el contrario lo que desea es mantenerse en forma, siga los pasos siguientes

Si no es un deportista «nato», pero desea mejorar su forma física, establezca salidas regulares 2 o 3 veces por semana. Para aficionarse más al *walking* haga más interesantes sus programas. Lo puede hacer de muchas maneras, por ejemplo fijando diversas metas, modificando los horarios o cambiando de acompañante (véase la tabla «Caminar jugando»). También puede resultar útil una cierta preparación mental antes de empezar a practicar el *walking*. Es una manera de estimularse y de aumentar el efecto beneficioso del *walking* mientras se divierte. ¿Por qué no practicar de vez en cuando un poco de *walking* con efecto reafirmante? Estos son algunos ejemplos: levante las piernas y vuelva a la posición de partida; dé dos pasos hacia atrás y dos hacia delante, dé unos pasos de lado o cruzados y mueva enérgicamente sólo los brazos.

Fíjese un pequeño programa antes de salir, más o menos de este tipo:

- 3 minutos de calentamiento;
- 5 minutos de *stretching* o estiramiento;
- 5 minutos de ejercicios en el sitio;
- 20 minutos de entrenamiento aeróbico con *walking* a máxima velocidad;
- 3 minutos de enfriamiento (*cool-down*).

VESTIRSE PARA EL *WALKING*

Es posible que el *walking* sea el único deporte que no requiera un equipo ni atuendo especial.

Sin embargo, si camina durante mucho rato o en condiciones atmosféricas diversas, puede resultar útil vestirse de un modo más práctico.

Existen una infinidad de utensilios técnicos que permiten una mejor programación del entrenamiento o que hacen más interesante una larga excursión.

El calzado

La única e imprescindible «arma» del caminante es el calzado. Al principio se puede llevar cualquier calzado que sea cómodo con una suela suficientemente flexible y, naturalmente, para las mujeres, sin tacón.

Las zapatillas de tenis también se pueden llevar en verano para dar un paseo no demasiado largo por el parque, pero no es el calzado ideal para un auténtico entrenamiento o para las excursiones en terrenos diversos.

A medida que se aficione al *walking*, deseará llevar un calzado verdaderamente adecuado. En cualquier tienda especializada en artículos de deporte le podrán aconsejar. No obstante, estos son algunos de los aspectos que hay que tener presentes.

Suela flexible y «amortiguadora»

La suela debe ser lo suficientemente flexible para dejar que el pie se estire libremente desde el talón hasta la punta de los dedos. Al mismo tiempo debe amortiguar el impacto contra el suelo. Una «almohadilla amortiguadora» bajo el talón es muy importante, sobre todo para las mujeres. Puede estar fabricada con gel o con aire y además reduce cualquier posible molestia en las articulaciones.

Si normalmente recorre tramos mixtos sobre terreno irregular, la suela que cubre la zona del talón tiene que ser más grande que la que se exige para el *walking* sobre asfalto o tierra batida. Se trataría pues de buscar una suela fabricada con relieve antideslizante para evitar cualquier caída.

Observe regularmente la suela del calzado que emplea para practicar el *walking*. Si está gastada de manera desigual, significa que su modo de apoyar el pie y de distribuir el peso no está bien coordinado. Consulte con un especialista en ortopedia o un cinetológo (especialista en el estudio del movimiento).

Plantilla de quita y pon

La suela interior cumple una función amortiguadora y por lo tanto debe estar fabricada con un material blando. También se puede escoger el relieve más adecuado para cada persona para favorecer la llegada de la sangre al corazón. Escoja preferentemente plantillas interiores de quita y pon, de manera que se puedan secar aparte.

Ya existen en el mercado varios tipos de plantillas (y la oferta se va ampliando cada vez más) que pueden colocarse en el calzado según las necesidades de cada persona para amortiguar de un modo ideal el impacto contra el suelo. Se puede escoger entre una gran variedad de materiales: gel, caucho, corcho, etc. Vale la pena probarse todas las plantillas hasta dar con la que se adapte mejor a sus necesidades

Empeine flexible y transpirante

El empeine tiene que ser suave y flexible en el punto en que la planta del pie se dobla y acolchado en la zona donde se producen más rozaduras, como por ejemplo el talón. No debe impedir la transpiración (atención con los materiales y su fabricación) también porque en los pies sudados se producen ampollas más fácilmente. La zapatilla debe sujetarse con cordones, de manera que éstos permitan ajustar el calzado al pie, y tiene que tener una lengüeta que impida cualquier tipo de rozadura o la obstrucción de la circulación de la sangre. El empeine debe ser lo suficientemente grueso como para proteger bien el pie contra las rozaduras. En cierta manera, el acolchado también protege el pie contra las rozaduras de los bordes de la zapatilla, que pueden producirse cuando se camina por terrenos pedregosos, especialmente en el monte. Si se camina bajo la lluvia o por la hierba, los empeines de cuero o de Gore-tex protegen más de la humedad que los de nylon. Evite los modelos que se deforman fácilmente porque son demasiado flexibles para practicar el *walking*.

Cuidado con el número del calzado

La zapatilla no debe quedar demasiado ajustada; normalmente hay que adquirir un número más del que usa habitualmente, porque para practicar el *walking* se llevan calcetines gruesos y son éstos los que tiene que llevar puestos cuando se pruebe las zapatillas. Intente comprar las zapatillas bien entrada la tarde o incluso cuando esté a punto de oscurecer, ya que a esa hora los pies tienden a estar un poco hinchados. De este modo evitará comprarse un calzado demasiado justo. Observe si todos los dedos pueden moverse libremente, estirándolos. Compruebe si queda un espacio de 2 mm entre el dedo gordo y el empeine y si puede introducir un lápiz entre el calcetín y la zapatilla, en la parte del talón.

RECUERDE

Los pies son los que le permiten desplazarse cuando sale de excursión. Trátelos con cuidado, no solo mientras practica el *walking*, sino todos los días. Pedicura, baños de pies refrescantes o tonificantes, masajes con aceites o cremas perfumadas o una sesión de reflexoterapia son los cuidados que sus pies necesitan.

Si padece micosis, preste una especial atención a la higiene de los pies… y de los calcetines. De todos modos… más vale prevenir que curar.

Si tiene problemas, consulte con el especialista

Si tiene problemas de pronación o supinación (inclinación del pie hacia el interior o el exterior, debida a la posición de las piernas), déjese aconsejar por un médico que posiblemente pueda indicarle la aplicación de una pequeña plataforma en el interior de las zapatillas de *walking*. Estas plataformas adicionales también pueden amortiguar el impacto contra el suelo y hacer que el paso sea más cómodo, eliminando cualquier posible dolor articular. Puede suceder que necesite un nuevo par de zapatillas, sobre todo si practica el *walking* durante los días de lluvia y las zapatillas permanecen mojadas. Por cierto, nunca ponga las ponga a secar sobre el radiador ¡y mucho menos en el horno! Es más recomendable retirar las plantillas y rellenar las zapatillas de papel de periódico arrugado. El papel se cambia de vez en cuando y después se cuelgan por los cordones durante 48 horas.

Los pies, una obra de arte

La complejidad de la estructura de los pies es tal, que éstos resultan verdaderamente inimitables. Hoy en día, los robots pueden imitar todos nuestros movimientos… ¡excepto los de los pies! Entre otras razones, esto es debido a la presencia de numerosos huesos y tendones y al complicado trabajo en equipo que éstos realizan.

Tendones y huesos desempeñan una gran labor. Si se suman todos los pasos que damos, los pies cargan con casi dos toneladas de peso al día y en toda una vida, dan aproximadamente cuatro veces la vuelta al globo terráqueo.

Lo mínimo que se puede hacer para mantenerlos en forma es escoger correctamente el calzado, así como seguir algún tratamiento especial, como por ejemplo una pedicura impecable, al menos una vez al mes, pero mejor si se hace más a menudo.

Practicar el *walking* con unas uñas mal cuidadas o con durezas o callosidades en los pies, puede convertirse en un verdadero suplicio. ¡Piénselo a tiempo!

Vístase a capas

Un par de pantalones cómodos, una camisa de verano y una camiseta de felpa cuando la temperatura es suave, y un jersey e impermeable en invierno prestan muy bien servicio y así casi todas las prendas.

Es mejor vestirse a capas porque es más práctico poder quitarse una camiseta o dos y volvérselas a poner de nuevo, que tener que ir cargando con un pesado abrigo acolchado.

Intente escoger prendas no demasiado ajustadas, ya que impiden la libertad de movimientos.

Durante el invierno, ¡abríguese! Es verdad que durante el *walking* entrará en calor, pero si empieza a caminar con los músculos demasiado fríos pueden producirse tensiones musculares y tirones.

En verano, llevar una camiseta, también puede estar tejida con punto de red, puede resultar cómodo y también unos pantalones cortos.

Protéjase de la lluvia con abrigos o chaquetas impermeables, o mejor aún, fabricados con materiales que aunque protegen de la lluvia no provocan una transpiración abundante.

También existen en el mercado prendas fabricadas con tejidos de gran tecnología, que son especialmente cómodas.

La chaqueta

La chaqueta deberá tener un mantenimiento fácil, o sea, que pueda lavarse en la lavadora, porque si practica un *walking* intenso sudará con facilidad.

Después del calzado, la primera compra especial destinada a la práctica del *walking* debe ser una chaqueta especial fabricada con nuevos materiales textiles. En la actualidad, existen en el mercado tejidos que mantienen bien el calor corporal, permiten la transpiración y protegen de la lluvia sin impedir que el sudor se evapore. Estos tejidos son más caros, pero pueden resultar muy prácticos, sobre todo en las excursiones más largas y pueden evitar la aparición de los molestos resfriados. El tejido que ha conquistado el mundo del deporte es el Gore-tex, fabricado con fibras de teflón estiradas de modo que se convierten en un tejido extremadamente ligero y poroso. El Gore-tex «respira», en el sentido que permite que el sudor se evapore y por lo tanto evita el enfriamiento excesivo provocado por el propio sudor, ofreciendo al mismo tiempo una excelente y duradera protección contra la lluvia.

Es aconsejable que la chaqueta tenga capucha.

Pruébese los trajes de esquí de fondo, especialmente si lo practica en los países nórdicos. Su efecto termorregulador en cada estación es verdaderamente sorprendente.

Los calcetines

Los calcetines tendrían que ser como una segunda piel, adaptables pero sin comprimir el pie, suaves y sin costuras. La punta del calcetín no debe deslizarse ni tampoco dejar marcas en los tobillos (si es así, obstruyen la circulación sanguínea). En verano se puede optar por calcetines de algodón o de «espuma», más bien absorbentes y amortiguadores. En las otras estaciones pruebe con un par de calcetines superpuestos. De algodón o polipropileno debajo y de lana encima. O también se pueden escoger calcetines a capas *high-tech*, de polipropileno en la capa interior, lana en la capa intermedia y fibras sintéticas en la capa exterior. Las personas con varices también pueden optar por calcetines elásticos, ya que la compresión en espiral que disminuye en la parte superior del calcetín, favorece la circulación y produce un gran efecto relajante.

Protéjase la cabeza

Cuando el frío es muy intenso, use un gorro de lana. La cabeza representa casi una quinta parte de la superficie del cuerpo y desprende una buena cantidad de calor. En cambio, abrigarse todo el cuerpo y dejar la cabeza al descubierto no tendría ningún sentido. Sin embargo, no hay que exagerar, porque como dice el refrán: «Pies calientes, cabeza fría».

Si practica el *walking* al mediodía, cuando el sol calienta más, protéjase la cabeza de los rayos solares más intensos que tal vez no advierta cuando está en pleno entrenamiento, pero que podrían resultar igualmente nocivos. Por ejemplo, es práctico utilizar una gorra con visera porque sustituye perfectamente a las gafas de sol que a menudo pueden resultar molestas, sobre todo si se suda.

Si las gotitas de sudor le molestan o le entran en los ojos, puede colocarse sobre la frente una banda elástica de espuma. Si no le gusta llevar el típico gorro de lana, esta banda también protege los oídos en los días de mucho viento.

Bufanda y guantes

La bufanda y los guantes son muy prácticos en los días muy fríos y ayudan a mantener caliente todo el cuerpo de manera uniforme. Sería conveniente que el maillot o el impermeable tuviera bolsillos lo suficientemente grandes para guardar los guantes en caso de que éstos estuvieran de más, después del calentamiento o durante un *walking* intenso.

Hay quien gusta de llevar un pañuelo de algodón alrededor del cuello, incluso en verano.

La ropa interior

La ropa interior divide los corazones de los deportistas. Hay quien prefiere la lana, que desde siempre ha sido considerada como un tejido termorregulador, incluso por las tribus del desierto. Hay quien no renunciaría por nada del mundo al algodón, ya que se trata de una fibra que absorbe más del 40% del propio peso en sudor, tal vez por esa razón no resulta demasiado agradable si permanece durante demasiado tiempo en contacto con la piel.

Incluso entre los naturistas más fervientes, hay quien se ha pasado a la fibra sintética. El polipropileno y el poliéster hidrófilo permiten la evaporación del sudor sin que el tejido quede impregnado y casi puede decirse que sirven de ventilador, una buena ventaja en verano o con climas templados. Además, el polipropileno es muy ligero, se seca rápidamente y no carga el cuerpo de energía estática.

Todo el mundo debería probar con varios tejidos o también una combinación de éstos, para comprobar con cuál se siente mejor.

RECUERDE

Después del *walking*, especialmente si es intenso, nunca se quede con la ropa sudada puesta, ¡tome una ducha y cámbiese!
Lo ideal sería una ducha que alternan la temperatura del agua: caliente, fría, caliente, fría, acompañada o seguida de un masaje con una toalla de baño o con un cepillo suave de mango largo.
Un baño a una temperatura de 37 a 39 grados resulta agradablemente relajante.

Otros aparatos

Nuestro cuerpo es como un «aparato gimnástico», un «gimnasio» y un «instrumento de preparación física» a la vez. De hecho, no necesitamos nada más para mantenerlo en buena forma.

No obstante, puede ser curioso calcular nuestra velocidad de marcha con un reloj que permita medir el tiempo exacto y el número de pasos. Así también podrá saber cuantos kilómetros ha recorrido en un día o en cuanto tiempo.

Tómese las pulsaciones

Si queremos saber si el ejercicio que se practica se sitúa dentro del área aeróbica (véase pág.60) sin tener que molestarse en medir manualmente (y sólo aproximadamente) el número de pulsaciones, existe un aparato que se fija a la muñeca o en el tórax y que mide exactamente los latidos del corazón. Algunos de estos instrumentos son programables, de manera que emiten una señal acústica cuando no superamos el nivel mínimo establecido. Junto con un programa informático, estos aparatos pueden servirnos de entrenador físico personal.

Equiparse para todos los recorridos

Con el tiempo, le pueden resultar útiles una brújula (existen modelos que se pueden acoplar al reloj), unos binoculares plegables, una minigrabadora para recordar las buenas ideas, una linterna de pilas, un aerosol «antiperrros», una riñonera para guardar los documentos personales, llaves, dinero (calderilla o tarjeta telefónica), cerillas, una venda elástica si va a la montaña, una crema con filtro solar, vasos plegables, mapas, un pequeño tentempié, un cuchillo multiusos... Para su seguridad y la de los demás, si camina de madrugada o a últimas horas de la tarde, utilice brazaletes reflectantes para fijar en la chaqueta, gorro y pantalón. Y si camina solo por zonas muy aisladas o inaccesibles, no estaría de más llevar encima una bengala.

Si camina por el monte...

Si camina por el monte puede sucumbir a la tentación de adquirir un bastón que le sirva de «tercera pierna» o de punto de apoyo adicional. El problema es que puede convertirse fácilmente en un hábito, en una dependencia que puede perjudicar el equilibrio del cuerpo, porque éste último tiende a apoyar todo el peso sobre el bastón, a menos que camine con dos bastones como si fueran raquetas...

Sin embargo, si tiene lesiones en la rodilla, puede ser aconsejable el uso de un bastón, al menos temporalmente.

También existe un modelo moderno. Se trata de un bastón telescópico, es decir, plegable, que queda reducido a una vara de 20 cm de longitud y de un metal muy ligero. En caso contrario, busque un bastón por el bosque, a ser posible con una pequeña ramificación en la parte superior para poder apoyar mejor el pulgar.

...escoja una mochila cómoda

La mochila puede resultar muy cómoda para llevar todo lo que necesita, pero además también puede servir de «preparación física» si se carga con un peso adicional.

Lo importante es que la mochila quede bien fija a la espalda, que los tirantes no molesten y que se pueda ajustar el cinturón de la mochila a la cintura para aliviar el peso sobre los hombros y evitar así que rebote demasiado sobre la espalda o se desplace durante el *walking*.

Es conveniente elegir algún color llamativo, porque en caso de necesidad sería más fácil divisarlo desde lejos.

Cargue la mochila de un modo lógico. Coloque los objetos pesados en el fondo, los ligeros encima, los de uso frecuente en los bolsillos exteriores y los objetos puntiagudos lejos de la espalda.

Las pesas

Quien quiera aumentar el esfuerzo puede utilizar pesas. Las hay que pueden llevarse en la mano o cinturones de pesas que pueden fijarse en las muñecas para ejercitar más los músculos de los brazos y del tórax o también pueden fijarse en los tobillos.

Estos objetos están aconsejados exclusivamente a los deportistas preparados, pero conviene prescindir de ellos cuando aparecen dolores de espalda.

En cualquier caso, las pesas obligan a mantener un nuevo y diferente equilibrio durante la práctica del *walking*.

DÓNDE Y CUÁNDO PRACTICAR
EL *WALKING*

El *walking* debe practicarse al aire libre. Toda ocasión es buena y cualquier lugar resulta excelente. Lo ideal son bosques, prados, colinas y parques, lejos de la contaminación y el ajetreo de la vida diaria. Pero también se puede practicar por la calles de los pueblos, porque no hay demasiado tráfico y a veces se pueden encontrar paseos arbolados.

Caminar por la ciudad

Se puede recorrer el trayecto hacia el trabajo a pie, o al menos un tramo, optando por el camino más libre de tráfico. O también hacer la compra a pie o dar una vueltecita por los alrededores antes de la cena o al terminar. En todos los casos se trata de excursiones por la ciudad que podrían descubrir algún encanto insospechado. ¿Alguna vez le ha ocurrido que alguien le preguntara por una calle y usted no supiera dar las indicaciones precisas, incluso habiendo oído antes ese nombre o recordando que esa calle está cerca de su casa? Si es así, practicar el *walking* por los alrededores de su casa le desvelará todos los secretos. Tal vez sea una buena ocasión para conocer a sus vecinos. ¿Acaso no es verdad que cuando se camina por el campo o el monte, todos los que se encuentran se saludan e intercambian algunas impresiones? ¡Cuántas veces en el mismo edificio, especialmente si es grande, nos resulta embarazoso encontrarnos con la mirada de algún vecino en el rellano o en el ascensor, y aún más fastidioso saludar o esperar a que nos devuelvan el saludo!

No vaya en coche hasta la pista de walking

El *walking* es un deporte ecológico por excelencia. No tendría sentido acostumbrarse a ir en coche hasta una «pista de *walking*». Intente practicar el *walking* en lugares relativamente cercanos a los que pueda acceder en bicicleta o utilizando los transportes públicos. Puede que cerca de su casa haya un jardín público que no había visto antes.

Seguro que en su localidad existen muchas propiedades señoriales, museos o castillos con jardines abiertos al público, o al menos con paseos que puedan recorrerse a pie.

Caminar por la montaña

La montaña posee un encanto especial al que ni siquiera los principiantes pueden resistirse. Sólo hay que iniciarse en la práctica del *walking* poco a poco y sobre todo, no cometer ninguna imprudencia escogiendo recorridos a cotas elevadas o subestimando la adversidad de las condiciones atmosféricas. Al menos las primeras veces, sería mejor ir acompañados por personas ya ·iniciadas.

La brisa del mar es especialmente tonificante y según qué playas nos invitan a practicar el *walking*.

Estudie la estructura del terreno

La estructura del terreno determina la velocidad del *walking*... y la de sus articulaciones.

El asfalto permite la máxima velocidad, pero el impacto del peso del cuerpo con el duro pavimento representa un gran esfuerzo para las articulaciones. Los terrenos más «blandos» se encuentran en el campo y en el bosque, sirven de amortiguadores y garantizan un esfuerzo considerable, ya que nos obliga a ejecutar más movimientos para mantener el equilibrio.

En el monte, el descenso constituye un doble desafío tanto para las articulaciones, como para la atención que usted debe prestar a la inclinación del terreno. En este caso, un bastón puede resultar de gran ayuda. Y sobre todo, ¡no tenga prisa!

La playa invita a caminar. Si la arena es lo suficientemente sólida gracias a la acción continua de las olas del mar, puede intentar practicar el *walking* descalzo. En cambio, es mejor no prolongar los paseos por la arena blanda con los pies desnudos y recurrir al calzado, ya que de lo contrario se corre el riesgo de someter los tendones del pie a un esfuerzo excesivo.

Se puede caminar descalzo por prados, bosques y turberas, después de cerciorarse de que el terreno es seguro, pero vaya siempre con mucho cuidado.

El *walking* indoor

Si por alguna razón no le es posible desplazarse hasta un lugar al descubierto donde practicar el *walking*, puede entrenarse en el gimnasio o en su casa realizando algunos ejercicios en el sitio.

En muchas ciudades del extranjero verá a menudo gente que practica el *walking* en centros comerciales, en aeropuertos o en otros lugares públicos lo suficientemente espaciosos. ¿Se atreve a imitarles?

Si practicar el *walking* a cubierto se convierte en una costumbre, podría incluso considerar la compra de aparatos como el cinta transportadora, una cinta de *jogging* que le obliga a caminar a la velocidad que usted mismo haya seleccionado... sin tener que bajar del aparato. Los más sofisticados están provistos de un instrumento que mide la frecuencia cardíaca, la distancia recorrida y algún posible desnivel que usted mismo haya previsto.

También se pueden encontrar cintas de *jogging* sin motor. Los músculos de los muslos y las nalgas son los que ponen el aparato en funcionamiento.

El modelo *steeper*, exige un esfuerzo aún mayor, alrededor de 1000 calorías por hora, equivalente a una velocidad de 20 km por hora. También se pueden utilizar simplemente las escaleras de su casa, renunciando a saber el tiempo empleado, el número de pasos, la frecuencia cardíaca, etcétera.

Cuándo se puede practicar el *walking*

El *walking* se puede practicar en casi todas las estaciones. De hecho, el frío y la lluvia no deberían representar un serio impedimento para un caminante apasionado; basta con vestirse del modo apropiado.

No es aconsejable caminar bajo un sol estival durante las horas más calurosas o bien cuando el bochorno es inaguantable. En todo caso, llévese algo para beber e ingiera líquidos a menudo. Mójese con agua fresca y abaníquese con cualquier cosa que pueda servirle.

RECUERDE

La piel no olvida ninguna quemadura. Está comprobado que se produce un efecto acumulativo que aumenta el riesgo de quemaduras con cada posterior exposición. No se haga el valiente y no escatime en crema solar. Renueve la aplicación cada hora.

Un último elemento que hay que tener presente es el espesor de la capa de ozono. Antes de decidirse por un horario y un lugar de entrenamiento determinados, pida información a las Autoridades Sanitarias competentes.

Generalmente, durante el período estival es aconsejable escoger las horas menos calurosas para la práctica del *walking*. Su piel le agradecerá el contacto con la brisa y el sol, así que opte por prendas ligeras y protéjase con una buena crema solar.

Siga su biorritmo

Cuando la selección del horario para practicar el *walking* no está condicionada por las exigencias del trabajo (por ejemplo durante el fin de semana o en vacaciones), distribúyase el tiempo según su biorritmo natural. Observe en qué momento del día se siente especialmente en forma y salga a practicar el *walking* aproximadamente a esa hora.

Todo organismo vivo experimenta, en la franja de las 24 horas, aumentos y descensos de la fuerza muscular, de la producción de neurotransmisores y hormonas y de

Lo que hay que saber sobre el ozono

El ozono (O_3) que se encuentra próximo al suelo es un gas que se forma sobre todo gracias a la reacción del dióxido de nitrógeno (NO2) que emiten los coches y, aunque en menor medida, la industria, al entrar en contacto con la intensa radiación solar. La concentración de ozono ha aumentado de un modo alarmante durante los últimos años.

En muchas personas el ozono provoca trastornos respiratorios, o sea que si usted es una de ellas evite practicar el *walking* en días en los que el nivel del ozono se dispara. Una señal de alarma puede ser irritaciones en los ojos y/o en las vías respiratorias.

Si sólo le es posible practicar el *walking* a mediodía, escoja calles poco transitadas.

Ante todo, no contribuya a agravar la situación; prescinda del coche cada vez que le sea posible.

la actividad mental. En general, la temperatura corporal aumenta al atardecer pero eso no significa necesariamente que para todo el mundo éste sea el mejor momento para practicar el *walking*.

Fíjese también en cómo repercute el *walking* sobre su estado de ánimo y en sus motivaciones. Hay personas a quienes una excursión matinal les proporciona el aporte de energía necesario para todo el día.

A menudo, el *walking* contribuye a aliviar malestares, como por ejemplo el que provoca el cambio del huso horario tras un largo viaje.

RECUERDE

Si se siente cansado, tal vez una buena caminata pueda levantarle el ánimo y devolverle la energía. Si por el contrario está incubando una gripe o padece cualquier otro trastorno, no someta su organismo a demasiados esfuerzos y descanse, incluso si ya tenía planeada una fantástica excursión.

Evite siempre que le sea posible caminar siguiendo un «plan fijo» y con el reloj en mano. Mejor déjese llevar por su instinto. Si éste le dice que camine más lentamente o más rápido, o que cambie de recorrido, confíe en él.

QUÉ COMER ANTES, DURANTE Y DESPUÉS DEL *WALKING*

Beba en abundancia

Beber es muy importante. Beba un poco antes de salir y mientras practica el *walking,* si va a estar fuera de casa durante mucho rato y si hace calor. Beba en abundancia cuando haya terminado.

El agua es perfecta, sólo evite que esté helada. Las infusiones también pueden resultar muy beneficiosas y agradables de beber y también puede ingerirse un té muy ligero. Bien escurridas y preparadas con al menos la misma cantidad de agua, ayudan a recuperar los electrolitos perdidos si se ha sudado mucho.

Cuide su alimentación

No salga a caminar durante mucho rato con el estómago vacío ni demasiado lleno. Deje transcurrir al menos un par de horas después de una comida abundante. No es aconsejable el consumo de alcohol y/o de bebidas muy excitantes.

Lo ideal sería tomar un pequeño tentempié antes de salir: muesli, una porción de pastel o de bizcocho, un bocadillo, fruta o productos similares, o sea, carbohidratos, porque junto con los glúcidos son los que aportan una mayor cantidad de energía.

Llévese un tentenpié

Si tiene previsto estar fuera mucho tiempo, usted mismo puede prepararse una «merienda», un pequeño tentempié fácil de comer al aire libre, ligero, fácil de digerir y con un gran poder energético. Evite alimentos muy azucarados que provocan sed, como el chocolate y los dulces. Además, una «dosis» de azúcar (sacarosa) puro genera una gran producción de insulina y una casi inmediata sensación de energía, seguida en breve por un bajón aún más intenso. Estas subidas de insulina no resultan demasiado beneficiosas ni para su rendimiento ni para su salud.

Las barritas de muesli, que se venden en envoltorios individuales, son muy cómodas de llevar encima. Si las que se encuentran en las tiendas son demasiado dulces para su gusto y/o para sus necesidades dietéticas, pruebe con algún tentempié preparado en casa.

Si practica el *walking* durante un largo espacio de

Dos tentempiés caseros

Muesli rápido
100 g de cereales al gusto (mejor integrales)
200 g de fruta seca al gusto (higos secos, dátiles,
    ciruelas o pasas)
100 g de frutos secos al gusto (nueces, avellanas,
    almendras, piñones, etc.)
un poco de miel o de jarabe de arce (la que requiera)
un poco de zumo de naranja (el que requiera)
Triture la fruta y los frutos secos con la batidora o la trituradora. Mezcle la pasta con los demás ingredientes y forme barritas. Envuélvalas individualmente en papel parafinado, film transparente o papel de aluminio y consérvelas en el frigorífico. (Se mantienen durante dos semanas.)

Bolitas energéticas
Prepare una mezcla de fruta y de frutos secos, por ejemplo higos, albaricoques, manzana seca, almendras, pipas de girasol o de calabaza y tritúrelas con la batidora o la trituradora. Añada suficiente zumo de naranja o de limón hasta formar una pasta consistente con la que formará bolitas. Si quiere, las puede dejar secar durante un par de horas, pero no es indispensable. Envuélvalas en papel parafinado o film transparente y consérvelas en el frigorífico hasta que se disponga a salir. (Pueden conservarse durante un par de semanas.)

tiempo, otros productos que tiene que llevar consigo son los complementos alimenticios, utilizados desde los tiempos más remotos por los caminantes que debían recorrer largos trayectos a pie, como por ejemplo la espirulina, un alga de agua dulce que hoy en día se comercializa en forma de comprimidos.

Al regresar

Después del *walking* sentirá hambre y sed. Beba en seguida y luego, después de haberse refrescado, permítase un plato de macarrones a la napolitana o bien algo más rápido, como por ejemplo un yogur con fruta fresca, o un batido de frutas al que se le pueden añadir almendras y/o miel.

Cuidado con los productos *light*

Aunque haya decidido perder peso con el *walking*, no sucumba a la tentación de los alimentos sustitutivos de comidas o de los productos *light* para reducir el aporte de calorías. Se fabrican con agua, emulsores y a menudo con materias primas modificadas a través de complejos procesos industriales que alteran su composición. Por lo tanto, ingerir menos calorías no quiere decir exactamente llevar una dieta sana y menos aún, una dieta natural. El uso de alimentos frescos no desnaturalizados mediante diversos procesos industriales, dosificados y preparados cuidadosamente, es una manera mucho más segura de sentirse bien con uno mismo y también de recuperar la línea.

Entre otras muchas ventajas, el *walking* le ofrece la posibilidad de recuperar las buenas relaciones entre su cuerpo y su instinto. No pierda esta oportunidad tomando alimentos que engañan a su propio instinto. Su organismo no tiene la capacidad de asimilar las moléculas sintéticas (como muchos aditivos alimentarios) ni alimentos demasiado manipulados.

Tenga también presente un aspecto muy importante: practicando el *walking* sus necesidades energéticas aumentan. Practicarlo sólo con la esperanza de poder quemar exclusivamente tejido adiposo puede ser un error, si así se producen carencias de nutrientes vitales.

No se preocupe demasiado si nota que tiene más apetito. El *walking* da un gran empujón a su metabolismo, así «funcionará» mejor sin poner en peligro su figura.

EL PASEO DE LA MENTE

Breve antología del caminar

EL PASEANTE SOLITARIO
Jean-Jacques Rousseau

En cuanto a mí, disposiciones de ánimo muy distintas han hecho de este estudio una especie de pasión que colma el vacío de todas las que no poseo. Subo por las rocas, avanzo por las montañas, me adentro en los valles, en los bosques para liberarme durante todo el tiempo que me sea posible del recuerdo de los hombres y de los ataques de los perversos. Me parece como si al descender a la frondosidad de un bosque yo sea objeto de olvido, libre y tranquilo como si ya no tuviera enemigos o como si las ramas de los árboles tuvieran que protegerme de sus ataques, de la misma forma en que los aleja de mi recuerdo e imagino, en mi ingenuidad, que al no pensar yo en ellos, ellos ya no piensan en mí. De esta forma me siento inmerso en una agradable ilusión, a la que me abandonaría continuamente, si mi situación, mi debilidad y mis necesidades me lo permitieran. Cuanto más profunda es la soledad en la que vivo, más necesidad siento de que algo llene el vacío, y las cosas que mi imaginación rechaza o mi memoria aleja son sustituidas por productos naturales que la tierra, no forzada por los hombres, ofrece a mis ojos. El placer de andar por un desierto en busca de nuevas plantas supera el de huir de mis perseguidores y, llegado al lugar donde no encuentro huella humana alguno, respiro a mis anchas como si me hallara en un refugio en el que su odio ya no me persiguiera. (...) Las plantas parecen haber sido sembradas en abundancia sobre la tierra, al igual que las estrellas en el cielo, para invitar al hombre a estudiar la naturaleza gracias a la atracción del placer y la curiosidad. Pero los astros están lejos de nosotros; se requieren conocimientos preliminares, instrumentos, máquinas, escaleras muy largas para alcanzarlos y acercarlos a nuestro alcance. Las plantas están cerca por naturaleza. Nacen a nuestros pies y, por así decirlo, en nuestras manos, y si la pequeñez de sus partes esenciales las substrae a veces de la simple visión, los instrumentos que las restituyen son mucho más fáciles de usar que los astronómicos. La botánica es el estudio de un ocioso y perezoso solitario. Un bastón y una lupa son todo el material que necesita para llevar a cabo sus observaciones. Pasea, vaga libremente de un vegetal a otro, examina cada flor con interés y curiosidad, y en cuanto empieza a recoger las leyes de su estructura, al observarlas sien-

te, sin fatiga ninguna, un placer tan vivo como si le costaría mucha.
(fragmento de *Las meditaciones del paseante solitario*)

EN LOS CAMPOS Y PLAYAS
Gustave Flaubert

Así, nos adelantamos a los demás, sin más, sin preocuparnos de que
la marea subía, ni de si más tarde habría un paso para regresar. Que-
ríamos aprovechar nuestro placer hasta el final y saborearlo sin perdernos nada. Más frescos que el rocío de la mañana, saltábamos, co-
rríamos sin cansarnos, sin obstáculos, una fuerza interior nos arrastraba
sin que lo quisiéramos y sentíamos en los músculos como sobresaltos
de una voluptuosidad robusta y singular. Sacudíamos la cabeza al
viento y sentíamos placer tocando la hierba con las manos. Aspirába-
mos el olor de las olas, respirábamos profundamente, evocábamos todo
lo referente a colores, rayos y murmullos: las formas de las algas, la
suavidad de los granos de arena, la dureza de la roca que resonaba bajo
nuestros pies, la altura de los acantilados, la espuma de las olas al rom-
per, el perfil recortado del litoral, la voz del horizonte; y después la brisa
pasaba y era como si invisibles besos acariciaran nuestros rostros, y
después, el cielo, donde las nubes corrían veloces, condensando un
polvo dorado, la luna que se alzaba, las estrellas que acechaban. Ro-
deábamos nuestro espíritu en esta profusión de esplendores, la hacía-
mos correr frente a nuestros ojos, acentuábamos el olfato, abríamos los
oídos; algo de la vida de los elementos emanaba de ellos mismos y, cap-
turado por nuestras miradas, llegaba hasta nosotros, se asimilaba y
hacía que lo abarcáramos en una atención menos distante de la que sentíamos con anterioridad, gracias a esta unión tan compleja. A fuerza
de penetrarnos, de entrarnos, devinimos nosotros mismos naturaleza,
sentíamos que ésta se hallaba bien en nosotros y experimentábamos
un gozo desmesurado. Hubiéramos querido perdernos en ella, ser
conquistados y hasta llevárnosla. Como en el lance amoroso se desean
otras manos que tocar, otros labios que besar, otros ojos que mirar, otras
almas que amar, así nos abandonamos en la naturaleza a una demen-
cia delirante y alegre, nos entristecía que nuestros ojos no pudieran

alcanzar el corazón de las rocas, el fondo de las manos, lo alto de los cielos para poder ver cómo se mueven las piedras, cómo se forman las olas, como se iluminan las estrellas; que nuestros oídos no pudieran oír el granito formándose en las vísceras de la tierra, la linfa correr en las plantas, los corales formarse en la soledad de los océanos y, en la felicidad de esta efusión contemplativa, hubiéramos deseado que nuestra alma, irradiándose por doquier, viviera toda esta vida asumiendo cualquier forma, teniendo la misma duración y siempre modificándose, hiciera nacer siempre bajo el sol de la eternidad sus metamorfosis.

El camino del bosque
Jean-Loup Trassard

Con las garras me aferro al suelo sembrado de raíces, a todas las cortezas para no caer, para asegurar una subida rápida, la caída entre las ramas que muerdo. Cubierto por la avalancha de hojas amarillas que yo atravesaba, embriagado, los remolinos densos y lentos, cavo para husmear el olor de los lugares sin nieve, toco los riachuelos de linfa de la primavera, las primeras lágrimas de resina templada. La lluvia penetra, serpenteando, entre hoja y hoja. Pero las grandes lluvias que borran los senderos y transforman los campos arados en pantanos no pueden detenerse aquí, y atraviesan la red de raíces, que las beben. En las pendientes en las que los árboles han sido arrancados, las cavidades continúan secas. Más abajo están las profundidades protegidas por montañas de hojas que las gotas no consiguen alcanzar. Bajo las plantas cerradas se forman charcos pequeñísimos, gracias a las ramblas de agua, que acogen secretamente las lenguas de la noche. Cuando las ramas bajas mueren, el cielo del bosque sube hasta el revés de las hojas de las copas de los grandes árboles, pero al mismo tiempo también el suelo se levanta y el bosque se llena desde abajo. Ramas rotas, árboles enteros encima de mí están cubiertos de lianas. De sus cepas terrosas otros árboles se alzan y, con un nivel bastante precario, la tierra más que una superficie deviene un grosor. Estoy descendiendo a las depresiones, recorro largas distancias sin dejar el centro de los bosques, orientado por el olor de las esencias que predominan. Penetro en la frescura enmohecida de los troncos vacíos, subo. Algunos tienen ventanas de lechuzas, velo por ellas en el silencio sobre musgos crepusculares. Escucho el sueño de muchos árboles que penetran infinitamente en la tierra. Unos hongos difunden un débil resplandor. Bajo las ramas de los abetos que tocan el suelo, en el punto más bajo del sedimento, bajo las propias raíces, galerías, pasadizos, encuentro madejas de pelo.

(fragmento de *L'ancolie*)

CAMINAR EN EL PAISAJE
Georg Büchner

El frío era húmedo; el agua golpeaba las rocas y caía en el sendero. Las ramas de los abetos pendían pesadas en el aire lluvioso. En el cielo corrían nubes plomizas, muy densas, y la niebla subía en forma de globos y pasaba húmeda y pesada entre los arbustos, perezosa y lastrada.
Él avanzaba con indiferencia, pocas cosas del camino le importaban. No sentía cansancio, pero a veces se encontraba a disgusto de no poder caminar con su propia cabeza.
Desde el principio, sentía algo en el pecho, cuando de imprevisto empezó a caer pedrisco. El bosque gris gemía bajo sus pies y la niebla devoraba ya las formas, ahora descubría un fragmento de miembros poderosos; sentía algo. Buscaba, como se buscan los sueños perdidos, pero ¿de qué se trataba? No hallaba nada. Todo le venía pequeño, tan cercano a su cuerpo, tan mojado; habría deseado irse y secarse frente a la estufa. No comprendía porque necesitaba tanto tiempo para descender una pendiente semejante, para alcanzar un punto lejano; pensaba superarlo todo con unos pocos pasos. Sólo cuando la tormenta hacía precipitar las nubes en los valles, su vapor invadía los bosques; y las voces de las rocas se desataban, rumoreaban como truenos amortiguados en la lejanía, a veces acercando los poderosos zumbidos como si sus emisiones sonoras desearan, en su salvaje alegría, entonar un himno a la tierra; y las nubes corrían como una horda de fogosos corceles; y el sol penetraba en ellas gracias a sus rayos que hen-

dían con su espada brillante los campos de la nieve, como si la luz clara cortara los montes desde las cumbres hasta las profundidades de los valles. O cuando la tormenta impulsaba hacia abajo las nubes y el sol recortaba un lago azul de luz y, después, el viento perdía fuerza y, desde el fondo de las gargantas y de las copas de los abetos, susurraban arrullos y el sonido de las campanas, y en el profundo azul surgía un tenue resplandor rojizo, y pequeñas nubes pasaban con alas plateadas, y todas las cumbres, nítidas e inmóviles, brillaban iluminando el paisaje circundante, entonces su pecho se volvía punzante, él permanecía allí, doblando un poco el cuerpo hacia delante, ansioso, con la boca abierta y los ojos perdidos, y le parecía tener que extraer todo lo que cabía dentro de sí, incluso la tormenta; se tendía y yacía en el suelo, se dejaba envolver en la inmensidad y era una voluptuosidad que dolía; o bien se detenía, apoyando la cabeza en el musgo, entrecerraba los ojos y entonces todo huía lejos de él, la tierra cedía bajo su cuerpo, se empequeñecía como una estrella errante diminuta y se sumergía en un ruidoso torrente que fluía con su límpido avance bajo él. Pero no eran más que instantes, después se volvía a levantar, lúcido, resuelto y tranquilo, como liberado de este juego de sombras. Ya no recordaba nada. Hacia el atardecer, llegó a la cima de la montaña, en un campo de nieve desde donde se volvía a descender a la llanura occidental. Allí se sentó. Con el atardecer había llegado la calma, las nubes se extendían, inmóviles en el cielo. Hasta perder la vista, ¿no había nada más que las cimas desde las que descendían amplias pendientes, todo tan gris, silencioso y crepuscular? Se sintió espantosamente solo. Estaba solo, espantosamente solo. Hubiera deseado hablar consigo mismo, pero no fue capaz. Apenas osaba respirar. Los pies, que flexionaba en el suelo, resonaban como un trueno. Tuvo que sentarse. En ese instante una angustia inexplicable se adueñó de él. ¡Por todas partes estaba rodeado de vacío! Se irguió y descendió precipitadamente por la pendiente.

Había oscurecido, la tierra y el cielo habían devenido un solo ente. Era como si algo lo siguiera, algo espantoso tuviera que alcanzarle, algo que los hombres no pueden tolerar, como si los corceles de la Locura quisieran atraparle.

(fragmento de *Lenz*)

EL CAMINO DE LA ILUMINACIÓN
Hermann Hesse

En cada paso, Siddharta aprendía algo nuevo, porque el mundo se había transformado para él y su corazón estaba hechizado. Vio surgir el sol por encima de los montes boscosos y ponerse más allá de las lejanas playas cubiertas de palmeras; de noche vio las estrellas ordenarse en el cielo y la hoz de la luna mecerse como una nave en la oscuridad. Vio los árboles, las estrellas, los animales, las nubes, el arco iris, las rocas, las plantas, las flores, los riachuelos, los ríos y el rocío brillar por la mañana sobre los matorrales; a lo lejos, las elevadas montañas de un pálido azul, los pájaros que cantaban, las abejas, los arrozales plateados mecidos por el viento. Todas esas cosas y cientos más, de colores diversos, siempre habían existido, el sol y la luna siempre habían brillado, los ríos siempre habían hecho sentir su crepitar y las abejas su zumbido.

(fragmento de *Siddharta*)

SENDAS DE LA INDIA
Satprem

¡Ah! Caminar es algo que siempre me ha gustado y no me importa de qué manera. Me gusta mucho cuando agota, cuando el cuerpo llega al límite ulterior de sus recursos. Cuando se empieza... a buscar otro ritmo. Ya no es el cuerpo el que realiza un esfuerzo... es algo más lo que nos arrastra. Caminamos, caminamos y, por último, aparece un gran ritmo. Cuando se supera el estado de la fatiga, cuando se supera un cierto estado, aparece el gran rito.

En las sendas de la India... Bien, no puedo decir que sea *más* que en otras partes, porque es el «camino», así como los seres... Me sentía como en un país donde se podía respirar mejor. Porque en la India..., esa es una de las gracias de este país (o lo era, no podría decir si lo sigue siendo), es una gracia de este país... En la India hay un aire realmente particular.

EL CAMINO GEOMÁNTICO
Henry David Thoreau

¿Qué es lo que hace tan difícil decidir en qué dirección queremos pasear? Yo creo que la Naturaleza posee un magnetismo que nos conduce en la dirección adecuada, y a éste debemos abandonarnos sin reflexionar. No es lo mismo escoger un camino u otro. Sólo uno de los dos es el adecuado; pero por descuido y por torpeza a menudo cogemos el camino erróneo. Realmente desearíamos dar ese paseo, aún no realizado en el mundo real, que fuera el símbolo perfecto del camino que deseamos emprender en el mundo interior e ideal; y, sin duda, es difícil escoger la dirección, porque aún no existe claramente en nosotros.

Cuando salgo de casa para pasear, sin saber aún dónde dirigiré mis pasos, y dejo que sea el instinto quien decida por mí, me doy cuenta, por raro y extraño que pueda parecer, que siempre me decido por el sudoeste, hacia un bosque o un prado particulares, hacia un pasto abandonado o una colina en dicha dirección. Mi brújula tarda en decidirse, oscila unos grados y no indica siempre el sudoeste, y sobre dichas oscilaciones tiene absoluta autoridad, pero de todas formas oscila siempre entre el oeste y el sudoeste. El futuro para mí está en dicha dirección y allí la tierra parece más rica. La línea trazada por mis pasos forma una parábola más que un círculo o, más bien, una de esas órbitas de cometa que se definieron como curvas sin retorno, en este caso se abren hacia el oeste, y respecto a ellas mi casa ocupa la posición del sol. A veces, giro y vuelvo a girarme sobre mí mismo, en ocasiones durante un cuarto de hora, irresoluto, hasta que decido, por milésima vez, que me dirigiré hacia el sudoeste o el oeste.

(fragmento de *Excursiones*)

EL CAMINO CHAMÁNICO EN MÉXICO
Carlos Castaneda

Miré de nuevo. Don Genaro había trepado un buen trecho por la pared rocosa. En el momento en que miré se hallaba encaramado en una saliente; avanzaba despacio, centímetro a centímetro, para rodear un enorme peñasco. Tenía los brazos extendidos, como abrazando la roca. Se movió lentamente hacia su derecha y de pronto perdió pie. Di una boqueada involuntaria. Por un instante, su cuerpo entero pendió en el aire. Me sentí seguro de que caería, pero no fue así. Su mano derecha había aferrado algo, y muy ágilmente sus pies volvieron a la saliente. Pero antes de seguir adelante se volvió para mirarnos. Fue apenas un vistazo. Había, sin embargo, tal estilización en el movimiento de volver la cabeza, que empecé a dudar. Recordé que había hecho lo mismo, volverse a mirarnos, cada vez que resbalaba. Yo había pensado que don Genaro debía de sentirse apenado por su torpeza y que volteaba a ver si lo observábamos.

Trepó un poco más hacia la cima, sufrió otra pérdida de apoyo y quedó colgando peligrosamente de la salediza superficie de roca. Esta vez se sostenía con la mano izquierda. Al recuperar el equilibrio se volvió nuevamente a mirarnos. Resbaló dos veces más antes de llegar a la cima. Desde donde nos hallábamos, la cresta de la cascada parecía tener de seis a ocho metros de ancho.

(fragmento de Una realidad aparte)

EL CAMINO SOLITARIO
Robert Louis Stevenson

Para apreciarla con dignidad, una salida a pie debería realizarse a solas. Si se hace en grupo, o incluso en pareja, de la salida a pie, tan sólo queda el nombre. Se trata de algo más que un picnic. Una salida a pie debería hacerse a solas porque la libertad es fundamental; porque hay que tener libertad para detenerse y continuar, para seguir un sendero u otro, como más apetezca; y porque hay que caminar a su propio ritmo, sin trotar como un campeón de marcha, ni proceder a pasitos como una muchacha. Y el caminante deberá permanecer abierto a todas las impresiones y dejar que sus pensamientos adopten el color de lo que vean. Deberá ser como una flauta que el viento hace sonar a su voluntad. «No comprendo», dijo Hazlitt, «qué gusto encuentras a caminar y a hablar al mismo tiempo. Cuando estoy en el campo, deseo vegetar como el campo.» Esto es lo mejor que puedo decir sobre el tema. No debería haber murmullos alrededor que alteraran el silencio contemplativo de la mañana. Y cuánto más capaz de razonar sea un hombre, menos podrá abandonarse a esa saludable embriaguez que crece con el ejercicio al aire libre, que empieza con una especie de aturdimiento y pesadez de espíritu y que concluye en una paz inconcebible.

(fragmento de *Viaje en burro por las Cevennes*)

CAMINAR EN CHINA
Victor Segalen

Los pasos en el camino son buenos y elásticos. En cuanto salgo de mi casa, el propio camino, absorto en la lejanía por el horizonte que lo delimita, parece ponerse en marcha y me arrastra. La distancia aún no existe. No basta con caminar, queremos correr, ni siquiera correr, queremos saltar a izquierda y derecha. Después de un cierto número de horas, todas iguales, la andadura cambia. Llegamos a comprender que es indispensable aprender a caminar durante largo tiempo y recto.

La noche cae antes que el cansancio. Nos adormecemos, felices de que el día siguiente se anuncie fiel a este día. El alba llega antes del despertar. No nos arrastra, estamos en pie. Avanzamos de forma más sabia y prudente. Nos informamos de la distancia. No puede existir ningún problema de medidas rígidas, ni marcar el camino con segmentos equivalentes. Aquí el sistema occidental carecería de gusto por lo exótico, a la vez que sería fuente de errores lógicos. No hay que medir la distancia en kilómetros, ni en millas, ni leguas, sino en *lis*.

Es una grandeza prodigiosa. Flexible y distinta, aumenta o disminuye en función de las necesidades del caminante. Si el camino sube y se encrespa, el *li* se hace pequeño y discreto. Se alarga en el momento en que es natural que se alargue el paso. Existen *lis* para la llanura y otros *lis* para la montaña. Un *li* para la subida y otro *li* para la bajada. Los retrasos o los obstáculos naturales, como los vados o los puentes con peaje valen un cierto número de *lis*. No tiene absolutamente ningún equivalente en longitud geométrica, pero se concibe muy bien gracias a la medida humana del tiempo y del día: diez *lis* equivalen aproximadamente a lo que un hombre, con paso ni rápido ni lento, recorre en una hora en la llanura.

(fragmento de Estelas)

CAMINAR POR LA LLANURA
Gustave Roud

Si lo desea, nuestro mundo será esta tierra casi desconocida que inicia en Lemán hacia el norte y asciende hasta tocar otros lagos. Y de quién lo recorra en tren, sidecar o en autobuses, al alba del domingo. Funesta obcecación difundida por la Escuela Musical y el Manual de Geografía. Se abandona una colina, que miles de años han moldeado hasta darle una forma perfecta y que, suavemente, roza el cielo con sus labios de densa hierba, por un infierno de hielo y roca, cascadas apresuradas, y el pobre recuerdo de la tarde, rosa y verde sobre las nieves sin piedad.

¡Ah! Abrir los ojos de diez, de cinco o de uno solo de estos fugitivos. Ven, ama. Además del sueño, hay algo más para tu cuerpo entumecido por la hoz. Un remolino de hojas en la noche alcanza tu ventana como si una mano se tratara. Ven, todas campanas de aquí al horizonte repican la hora de nuestra fuga. Todos los pueblos brillan como un ramillete de luces. Ven.

(fragmento de Air de la solitude)

CON LOS PIES DESCALZOS SOBRE LA TIERRA
Luther Standing Bear

Los lakotas sentían una gran compasión y amor por la naturaleza. Amaban la tierra y todo lo que de ella emana, y su aprecio aumentaba con la edad. Los viejos estaban literalmente enamorados del suelo y no se sentaban ni reposaban en él sin ser conscientes de que se acercaban a una fuerza materna. La tierra era suave al entrar en contacto con la piel. Les gustaba quitarse los mocasines y caminar descalzos sobre la tierra sagrada. Sus *tipis* estaban clavados en la propia tierra, de donde habían obtenido sus utensilios.

El pájaro que cruzaba los cielos se posaba en la tierra y ésta guardaba en su interior todo lo que vivía y crecía. La tierra emanaba calma y fortaleza, lavaba y curaba.

Por ello los indios ancianos se mantenían cerca de la tierra, para no ser separados por las fuerzas de la vida. Así, sentarse o tumbarse en tierra les permitía pensar con mayor profundidad, sentir con mayor intensidad. De esta forma, contemplaban los misterios de la vida con mayor claridad y se sentían más cercanos a todas las fuerzas vivas que les rodeaban.

SENDAS DEL JAPÓN
Bashô

Desde no sé qué año, yo mismo, fragmento de nube transportado por voluntad del viento, no había cejado de alimentar pensamientos vagabundos y había errado por las riberas marinas. Más tarde, en otoño del año pasado, en mi cabaña junto al río, me dediqué a contemplar las musarañas. En seguida llegó el año nuevo y, con la primavera, me nacieron las ansias de superar la barrera de Shirakawa en la ligera calina; poseído por el Dios de la inquietud que me turbaba el espíritu, conmovido por las invocaciones de los dioses del camino, incapaz de iniciar nada, remendé mis calzones desgarrados, cambié el cordón que me sujetaba el pelo e inmediatamente emprendí el camino hacia el retiro campestre de Sampû...

(fragmento de *Sendas de Oku*)

EL CAMINO ATENTO A LO LARGO Y A LO ANCHO
Satipathana

Para dedicarse a esto es necesario ser consciente de las distintas fases de cada paso. La división sextúplice de estas fases, como aparece citada en el *Comentario del Discurso*, es demasiado compleja para el principiante. Basta con prestar atención a las tres (A) o dos (B) fases. Para adaptarlas a un ritmo de dos sílabas, nosotros aconsejamos formular como sigue: A-1 levanto, 2 adelanto, 3 apoyo; B-1 levanto, 2 apoyo el pie. Cuando se quiere caminar más de prisa, se puede utilizar la división doble; en cualquier otro caso, es preferible la división triple porque ofrece una secuencia de atención más condensada, sin intervalos.

Esta práctica del caminar atento está particularmente recomendada como método de concentración y, a la vez, como origen de la visión interior. Se puede practicar por sí misma y no sólo como «cambio de posición» contra el cansancio. En los sutras budistas encontramos un pasaje que se repite con frecuencia y afirma: «Durante día, y en las primeras y terceras velas de la noche, él purifica su mente de pensamientos obstructores caminando a lo largo y a lo ancho o permaneciendo sentado».

Si se considera el camino a lo largo y a lo ancho como una práctica en sí, para llevarla a cabo es preferible disponer de una superficie bastante extensa, tanto en casa (un pasillo o dos habitaciones adyacentes) como en el exterior, porque girar en redondo demasiado a menudo puede ser una molestia para el flujo continuo de atención. Hay que caminar durante bastante tiempo, hasta que uno se siente cansado.

MEDITACIÓN Y CAMINAR ZEN
Alan Watts

A la hora de la meditación, los monjes entran en procesión en la sala y se sientan sobre cojines redondos dispuestos en el suelo con la cabeza dirigida hacia el centro de la sala. El monje principal avanza y se inclina ante el altar del Buda, mientras que en el exterior otro monje llama al recogimiento a los que llegan tarde golpeando un gong plano de madera con el siguiente grabado:

«El nacimiento y la muerte son acontecimientos importantes, al igual que efímera es la vida. Cada minuto es precioso, el tiempo no espera a nadie.»

El monje principal enciende entonces un bastón de incienso que sirve para medir el tiempo y, en cuando ocupa su lugar, la meditación zazen puede empezar. Dos monjes se levantan y se acercan al altar. Cada uno se inclina frente al otro y frente a la representación del Bodhisattva. Después, ambos cogen una vara plana de madera (*kyosaku*), se inclinan de nuevo, se separan y cada uno se dirige a un lado de la sala. Avanzan y retroceden frente a las dos hileras de monjes en meditación, mirando atentamente a todos para asegurarse que ninguno manifieste signos de somnolencia. Al inicio de la meditación, caminan con paso decidido y ligero, después ralentizan progresivamente el paso, llegando a parecer sombras que caminan. De repente, uno de los dos se detendrá frente a un monje somnoliento, le dará algunos golpecitos secos en los hombros con su *kyosaku*, ayudándole así a restablecer inmediatamente toda su conciencia. Al cabo de poco tiempo, vuelven a su lugar y la meditación continúa. Cuando el bastoncito de incienso se ha consumido, el monje principal hace sonar una campana y hace chocar dos tablillas de madera. Es la señal que anuncia el final de la meditación. Se retiran inmediatamente los *soji* para cambiar el aire de la sala. Los monjes se colocan en fila y empiezan a caminar con rapidez y en silencio en la sala, acelerando cada vez más el paso. Cuando se consume el segundo bastoncito, el monje principal vuelve a hacer sonar las tablillas de madera. Vivificados por este ejercicio, los monjes vuelven a iniciar la meditación. Estos momentos de alternancia de meditación y caminar se prolongan unas tres horas y terminan a la hora de la comida principal, es decir, a las diez.

(fragmento de El espíritu del zen)

«KIN-HIN»: CAMINAR EN EL ZEN
Taisen Deshimaru

En el *dojo* se enseñan las cuatro posiciones fundamentales del cuerpo: estar en pie, caminar, sentarse y acostarse. Son las posturas originales. Las posiciones que adoptamos habitualmente, a las que nos abandonamos, en la mayoría de los casos, no son más que posturas rotas.

La postura en pie y andando son muy importantes. Se las designa con el único nombre de *kin-hin*. Maurice Béjart ha reconocido en ella el origen de los pasos y las posiciones de danza enseñados en el ballet clásico europeo.

La posición es la siguiente: de pie, columna vertebral bien recta, el mentón hacia adentro, la nuca tensada, la mirada fija a tres metros, es decir, aproximadamente a la altura de la cintura de la persona que nos precede cuando se está en fila india. El pulgar izquierdo debe permanecer cerrado en el puño izquierdo, que a su vez estará colocado en el plexo solar. La mano derecha encierra el pulgar izquierdo y las dos manos permanecen unidas sólidamente y apoyadas en el esternón durante la espiración. Los codos están separados y los antebrazos en posición horizontal; los hombros relajados y dirigidos hacia atrás. Al principio de la espiración se avanza con la pierna derecha aproximadamente medio paso, y se apoya enérgicamente en el suelo la planta del pie, más precisamente, con la raíz del dedo gordo, como si se quisiera dejar una huella en el suelo. Existe una profunda correspondencia entre esta extremidad del pie y el cerebro. Se ha de sentir el contacto con la tierra.

Debido a que la rodilla está bien estirada, la pierna se encuentra en tensión, al igual que todo el lado derecho de la cabeza al pie. La otra pierna y, por tanto, el otro lado están sueltos y relajados. Al mismo tiempo, la espiración nasal es profunda, lenta, lo más larga posible, pero sin forzar ni hacer ningún ruido. Cuando ésta termina, llega un momento de interrupción, se relaja todo el cuerpo y la inspiración se realiza sola, automática y libremente.

Al principio de la espiración siguiente hay que cambiar de pierna y todo el proceso vuelve a iniciarse con el apoyo en el pie izquierdo y con la pierna derecha suelta y relajada.

Es un caminar rítmico, como el de un ánade, alternando tensión y relajación, tiempos fuertes y tiempos débiles. Los maestros zen aconsejan caminar como el tigre en la jungla o el dragón en el mar. El apoyo sobre el pie es sólido y silencioso, como el paso de un ladrón. Durante este camino, no hay que mirar a la cara al resto de personas. La mirada se dirige al interior, como si nos encontráramos solos con nosotros mismos. Al igual que durante el *zazen,* se deja que los pensamientos fluyan. El caminar en *kin-hin* descansa de la postura en *zazen*. Durante un día de *sesshin*, se alternan el uno y el otro. Cuerpo y espíritu reencuentran su unidad, al igual de una resistencia y un dinamismo notables.

Kin-shin es, al igual que *zazen*, un método de profunda concentración. La energía, impulsada por la espiración, es recogida en la zona baja del vientre donde es realmente activa. Entrenamiento para la estabilidad de la energía: las artes marciales en Japón se basan en esta unión de piernas y en la concentración de energía en el *hara* [centro de gravedad del cuerpo situado tres dedos por debajo del ombligo]. Esta posición se enseña al practicar el judo, karate, aikido y el tiro con arco. En la actualidad, se tiende a olvidar la importancia de la actitud espiritual en la práctica de las artes marciales. Se busca la fuerza sólo a través de la técnica. *Do,* en judo y en aikido, significa Vía.
Las artes marciales no son una técnica de competición, ni un deporte de combate, sino un método para alcanzar el autocontrol, el control de la energía en el abandono del Ego y la comunión con el orden universal. Disciplina de la conciencia: no se lanza la flecha, la flecha parte en el momento exacto en el que, inconscientemente, estamos preparados, desnudos de nosotros mismos.

(fragmento de *La práctica del zen*)

EL CAMINANTE TAOÍSTA
Alan Watts

El buen caminante utiliza sólo la energía indispensable para andar. No deja huellas porque, al caminar con paso ligero, no levanta polvo. Un taoísta diría que levantar polvo es la prueba de que el que el caminante utiliza un exceso de energía, que nos es absorbida por el acto mismo de caminar. Si bien esta comparación es un poco forzada, la idea fundamental es el secreto de la concentración y el éxito en cualquier tipo de actividad. Tiende a utilizar exactamente la cantidad de energía necesaria para alcanzar un determinado resultado. Pero, en general, el hombre hace su actividad más dura de lo necesario, desaprovecha un notable potencial de energía en toda tarea que emprende, a causa de la falta de concentración.

(fragmento de *El espíritu del zen*)

CUMBRES
Rob Schultheis

Sucedió algo durante ese descenso, algo que desde entonces he intentado describir por lo inexplicable y potente que fue. Mientras descendía a lo largo de las mortales pendientes del Neva, me sorprendí de improviso al comprender una cantidad increíble de cosas imposibles. Sorprendido, en estado de choque, proseguí por una pared de roca con la impecable perfección de un leopardo de las nieves o una cabra montesa. Superé pasillos de roca agrietada, los apoyos desaparecían de las manos y de los pies a medida que me desplazaba, una danza en la que un solo contratiempo habría resultado fatal.

¿Y mis agarraderos? Estalactitas de hielo que pendían del granito. Después rodaban con ruido en el vacío, pero yo ya había pasado, ya estaba lejos. Fragmentos de nubes a la deriva se rozaban como gatos; podía sentir palpitar su electricidad. Al oeste, caía una ligera lluvia de nieve disuelta, un barro que impedía orientarme; las rocas brillaban a causa de la humedad. Lo que estoy haciendo, me decía, es absolutamente imposible. No lo conseguiré. Pero tengo la gracia, el lampo iluminador. Adelante.

En un cierto punto, la única forma para descender fue una columna de hielo negro; me deslicé a lo largo de dicha columna, con las manos encastradas entre el hielo y la roca, los talones de mis escarpines clavados en la pared, con los dedos de los pies aferrados a las más pequeñas rugosidades, encrespamientos del grosor de una tela, de esta inmensa vela de hielo. Es imposible. Absurdo. Cinco metros de roca vertical, sin ninguna aspereza. Me agarré a los corpúsculos de granito (¡es cierto!) y superé el obstáculo para después encontrar otras cornisas heladas. ¿A un paso de la muerte? No, mucho más cerca. La fuerza de gravedad intentaba atraerme; saltaba y avanzaba huyendo siempre de ella. Durante todos los días de ascensión de las paredes rocosas en las colinas que coronan Bouldre no había realizado nunca ni siquiera una décima parte de lo que estaba haciendo en ese momento. Sabía que estaba mucho más allá de mis límites. Una pequeña parte de mí temblaba de miedo y cansancio, incitaba al riesgo, deseaba ser arrastrada por la velocidad del relámpago no importaba dónde, siempre lejos de este precipicio glacial. La parte que quedaba de mí, confiada, colmada de una alegría demente, se alegraba de esta danza de supervivencia animal, admiraba los destellos de los cristales de granito, la embriagadora caligrafía del cuarzo helado (...) poseída completamente por la actitud del escalador, extasiada por la inmensa vertiginosidad del lugar. Todo ello me recordaba algunos sueños, en los que mi cuerpo era ligero como una pluma, aún más ligero, y me lanzaba con un sólo salto, sin esfuerzo, planeando a cinco, diez o quince metros de altura, girando como una peonza con un único movimiento de muñeca.

Con la perspectiva, no puedo explicar realmente o describir con precisión la naturaleza de ese extraño ser que penetró en mi cuerpo esa tarde. Era tan distinto de mi yo cotidiano; no había percibido nunca su presencia con anterioridad, como tampoco la he vuelto a sentir después, a excepción de una segunda caída, en México en 1982, y, para ser más exacto, durante una extraña semana de carreras de fondo... El ser en el que me convertí en el Neva era la mejor versión posible de mí mismo, la persona que yo habría deseado ser durante toda la vida. Ningún lamento, ninguna duda, no era más que el gesto preciso. Creo sinceramente que habría conseguido tocar el ojo de una avispa situada a treinta pasos con la punta de una hoja de pino. No habría podido fallar porque cualquier error era imposible. No me preocupaba saber si caería o no, puesto que no podía caer, tal como dos y dos son cuatro. Por supuesto, todo ello era una sinrazón sublime, pero yo creía en lo más íntimo de mis células; si no hubiera creído en ello, habría caído al abismo.

Más tarde, me vi obligado a avanzar con dificultad en un alto montón de nieve a los pies de la pendiente. El temporal estalló, una luz vertiginosa inundaba el abismo. Al mismo tiempo, fragmentos de nubes de color fuego luchaban.

Me dirigí al norte, paralelamente a la línea de demarcación de las aguas, hundiéndome en la nieve hasta las rodillas cada tres menos; rascaba con obcecación el hielo que me cubría, me volvía a poner en pie y proseguía como podía. Según el mapa, debía de haber una pista un poco más abajo, la pista que conducía hacia el este, hacia el Paso del Cuatro de Julio, hacia la cabaña donde habíamos sentado la base. Era un largo camino, muy largo, pero no tenía elección. Continué la marcha, cayendo y levantándome una y otra vez. La nieve se volvió menos profunda. Me encontraba en la fase de desfallecimiento, pisando con paso decidido los guijarros del lado noroeste del Neva. Cuando percibí la pista, una línea estrecha que ascendía hacia el este, hacia el paso invisible, me pareció como un sendero de cuentos de hadas que conducía al otro mundo.

La ascensión hasta la cima del desfiladero era larga. A medida que la tarde declinaba, la luz se transformaba. La cima era un campo de masas erráticas con ensenadas de hielo, matojos de hierba seca oscurecida con el último sol. A mi izquierda, una extensión de nieve se asentaba hasta las profundidades espectrales del Agujero del Infierno, bajo el pico Arapaho. La pista se dirigía al este, en dirección a la cabaña, a Boulder, a las Grandes Llanuras, al mundo. Y yo avanzaba por la pista; no tenía más que descender siguiéndola. Todo se extendía ante mis ojos. Me parecía que habría podido agarrar a todo el mundo como si de una manzana de oro se tratara. Mi vida pasada, todo lo que me había sucedido desde el momento de esta caída, todo había desaparecido. La abandoné como a una vieja piel seca y arrugada, tal como era en efecto, y la vi desaparecer sin la menor tristeza. Desde la punta del pie hasta el extremo de mis cabellos, estaba repleto de felicidad.

En este mundo, debéis mostraros prudentes como un animal salvaje o como un guerrillero, en caso contrario la revelación os abandonará antes de que os deis cuenta. Como prueba de ello tengo este relámpago de despertar en el Neva, que el budismo zen llama *satori*.

Había saboreado un instante de iluminación, perfección, naturaleza de Buda, Dios, o no sé qué... En casos similares, el nombre no es importante. Al caer la noche, cuando alcancé la tienda, comenzó a recomponerse mi antiguo «yo».

PASAJERO DEL TIEMPO
Jacques Lacarrière

Una vez más, al final del viaje, me doy cuenta de que caminar a lo largo de las vías, errar en Francia, es más una cuestión de tiempo que de espacio.

Quiero decir que, al caminar, lo que cambia es el tiempo, no el espacio. Y ello se comprende porque no puede haber un verdadero viaje si no en el corazón de este espacio de tiempo encontrado, creado por el paso de los senderos y de los días. De hecho esta duración actúa sobre el tiempo interior, que parece entonces fluir en sentido contrario como si, gracias a la única magia de un viaje obstinado, la gran corola de las estaciones, las constelaciones de los astros pudieran invertir bruscamente su habitual rotación. Y al actuar en nuestro tiempo interno, ésta actúa sobre las escorias que permanecen dentro de nosotros, en los fragmentos de nuestra memoria que deviene al mismo tiempo recuerdo y premonición, cristalización del tiempo pasado e irradiación del instante reencontrado. Esto es, junto con la enseñanza derivada de lo que significa, en todos los sentidos de la palabra, el término pasajero, el gran mensaje de las vías. Nada más, ni nada menos. No es esto lo que yo buscaba confusamente, no es esto lo que imaginaba al iniciar mi peregrinación a Saverne, por el camino de sirga, en la mañana de ese mes de agosto, en la que dos gatos yacían al sol. Pero eso fue lo que encontré. Y a través de esto, gracias a ello, tantos paisajes, rostros, frases y silencios se han ido asentando en mí, han ido hallando lugar en los estratos del tiempo como si se tratara de relevos definidos en la gran memoria interior.

(fragmento de *Chemin Faisant*)

CAMINAR POR EL SIMPLE PLACER DE SENTIR EL VIENTO Y LA TIERRA
Henri Bosco

Viajar a pie siempre me ha extasiado. Ya no es necesario cantar loas al viaje a pie. No lo haré. Tan sólo hablaré de la felicidad que siento al caminar. No soy un caminante de excepción. Camino, que no es poco.

Y puesto que lo hago por placer, raramente llego a ser extremo. Desde el momento en que mis piernas se vuelven pesadas, miro con un poco más de atención al frente buscando un lugar para descansar, para un verdadero descanso, un descanso en el que, de arriba a bajo, se relaje mi cuerpo y en el que yo pueda comer, beber y sentirme a gusto. (...) Vuelvo a caminar... Y a pesar de ello, siento una verdadera juventud. Entonces cierro la mochila, repaso los lazos de las botas, agarro mi viejo bastón que hace ruido (un bastón con la punta de hierro muy desgastada) y camino olfateando, por los caminos, el olor del viento, tan decisivo para ponerse en marcha en la dirección ideal. Depende del espíritu del viaje. La tierra es el cuerpo del viaje; el viento es su alma... Amo la tierra y el aire con el mismo amor; y sus fuerzas se unen en mí. Sé todo lo que un sendero repleto de regueros, seco, perfumado, bordeado de avellanos en flor debe a una buena brisa en abril; y también sé lo que gano al pasar por un montículo repleto de tomillo y lavanda cuando por la mañana el viento del este sopla con mucha suavidad y el rocío humedece las piedras.

En el fondo, ésta es la razón por la que he viajado tanto a pie: por el simple amor al viento y la tierra. También para estar solo (es tan hermoso estar solo), completamente solo, en un altiplano, en una garganta, a orillas de un río; y por desprecio al vehículo (a casi todos los vehículos). Y por último, para poder ir allí donde nunca va nadie y donde quizá se esconden cosas maravillosas.

(fragmento de *Un rameau de nuit*)

UN VIAJERO EN EL TECHO DEL MUNDO
Govinda

Ya no era capaz de decidir dónde poner los pies entre las rocas que frente a mí cubrían el terreno durante kilómetros. La noche me había caído encima con rapidez y, a pesar de ello, con gran estupor, saltaba de roca en roca sin resbalar nunca ni caer a pesar de las ligeras sandalias que llevaba en los pies desnudos. Me di cuenta que una extraña fuerza me había poseído, una consciencia que ni los ojos ni el cerebro guiaban. A pesar de que mis movimientos fueran casi mecánicos, mis miembros parecían estar en una especie de trance. Hubiera podido decir que éstos poseían su propia fuerza interior. Distinguía las cosas como en un sueño, separadas de mí. Incluso mi cuerpo se había vuelto extraño, casi separado de mi voluntad. Era como la flecha que ineluctablemente el impulso inicial fuerza a proseguir en su avance. Todo cuanto sabía era que nada habría podido deshacer el hechizo que se había adueñado de mí.

Sólo más tarde comprendí lo que había sucedido. Inconscientemente, en esas particulares circunstancias y en una situación de grave peligro, me había convertido en un *lun-gom-pa*, un «viajero en trance» que, insensible a los obstáculos y al cansancio, avanza hacia el objetivo que se ha fijado, rozando apenas el suelo. El observador lejano podría tener la impresión de que el *lung-gom-pa* es producto del aire (*lung*) y que apenas flota sobre la superficie de la tierra.

Un solo paso en falso en aquellas rocas habría bastado para que me rompiera o me torciera un pie. Pero no di ni un paso en falso. Avanzaba con la seguridad de un sonámbulo, a pesar de que estaba muy lejos de estar dormido. No sé cuántos kilómetros pude recorrer en aquel terreno sembrado de rocas. Únicamente sé que me encontraba al final, arriba de esas colinas y que precisamente en ese instante una estrella apareció en dirección a las cumbres nevadas. La tomé como punto de referencia en esta llanura uniforme que se extendía frente a mí. No osé desviarme de dicha dirección y, siempre poseído por el mismo embrujo, atravesé todo la llanura nevada sin hundirme nunca.

(fragmento de *El camino de las nubes blancas*)

CAMINAR EN EL PAISAJE
Wang Wei

Bajo la lluvia no se distingue ni el cielo ni la tierra, ni el este ni el oeste. Si el viento sopla y no está acompañado de lluvia, la mirada se siente atraía por las ramas de los árboles que se mueven. Pero, cuando llueve sin viento, los árboles parecen helados; los transportadores llevan sus sombreros de junco y los pescadores sus manteles de paja. Después de la noche, las nubes se esfuman, dejan lugar a un cielo azul coronado de brumas ligeras; las montañas doblan los esplendores de esmeralda, mientras que el sol, con mil rayos oblicuos, parece muy cercano. Al alba, las cumbres se separan de la noche; el día naciente, en el que aún se abrazan una plateada neblina y otros colores confusos, una luna delgada declina. En el crepúsculo, sobre el horizonte dorado de la puesta, algunas velas se mecen sobre el río; la gente se apresura a regresar a casa, las puestas de las mismas están entrecerradas.

En primavera, el paisaje se vela de brumas y calinas; el color de los ríos cambia al azul, el de las colinas al verde. En verano, altos árboles viejos esconden el cielo, la superficie del lago carece de oleaje; en el corazón de la montaña, la cascada parece emanar de las nubes y, en el solitario balcón, se siente la frescura del agua. En otoño, el cielo tiene color de jade; el bosque se vuelve denso y secreto; las ocas salvajes sobrevuelan el río; sólo alguna garza se posa en la ribera. En invierno, la nieve cubre la tierra; un leñador camina, cargado de madera; allí donde el agua el agua se conjuga con la arena, un pescador atraca su barca.

PREPARARSE PARA VIAJAR
Willian Hazlitt

El alma del viaje es la libertad; una libertad absoluta de pensar, sentir y hacer lo que se desee. Nos ponemos a viajar sobre todo para sentirnos libres de todos los obstáculos y todas las presiones; para echárnoslas a las espaldas y, aún más, para liberarnos de los demás. Porque deseo un breve instante de tregua para meditar sobres cuestiones sin ninguna importancia, como afirma la Reflexión

> *Las plumas debo alisar y las alas crecer,*
> *que en el trastorno de la vida pública*
> *había desordenado y a veces dañado,*

debía alejarme de la ciudad durante un cierto tiempo, sin sentirme perdido en cuanto me encuentro solo. En lugar de un amigo sobre una carroza o una calesa, con el que intercambiar una conversación, divagando sobre los típicos temas trillados, por una vez quisiera firmar un pacto con la indiscreción. Concededme el límpido cielo azul sobre la cabeza y la hierba verde bajo los pies, un camino serpenteante frente a mí y tres horas caminando antes de comer... y entonces aparece el pensamiento. Es difícil que no me ponga a jugar en esos espacios solitarios. Y me río, y corro, y salto, y canto de alegría.

(fragmento de *The Round Table*)

«TAN ALTO EN EL MUNDO»
Michail Jurevich Lermontov

Había silencio por doquier, en el cielo y en la tierra, así como en el corazón del que estaba rezando la oración de la mañana; a ratos, el viento fresco que soplaba del este levantaba las crines de los caballos, cubiertas de escarcha. Nos ponemos en camino; cinco delgados jamelgos arrastraban con dificultades nuestros carros por el camino tortuoso que conduce a la montaña del Gud. Nosotros seguíamos a pie y poníamos piedras bajo las ruedas cuando los caballos no podían más. Parecía que el camino condujera al cielo, porque, hasta donde alcanzaba la vista, ascendía, para al final terminar en aquella nube que desde la tarde descansaba en la cima del Gud, como un milano en espera de una presa. La nieve se fundía bajo nuestros pasos y el aire se volvía tan rarefacto que dolía respirar. La sangre subía a la cabeza, sin embargo, una sensación de bienestar se extendía por mis venas, y me sentía feliz de estar tan arriba del mundo. Era un sentimiento infantil, no lo niego, pero cuando uno se aleja de las convenciones de la sociedad y se acerca a la naturaleza, sin quererlo se vuelve niño. Todo aquello que se había conquistado se aleja del alma, y ésta se vuelve de nuevo como era y como probablemente volverá a ser. A quien tiene la posibilidad, como yo, de errar por las montañas desiertas y observa durante mucho tiempo sus formas maravillosas, respira con avidez el aire vivificante extendido por esos precipicios, podrá comprender mi deseo de describir esos fantásticos entornos.

(fragmento de *Un héroe de nuestro tiempo*)

Un sendero por el campo

Edward Thomas

Tres campos más abajo vivía un amigo, y una o dos veces al día atravesaba los campos, la verja y las dos hileras de setos. El primer campo era cóncavo y en abril amanecía sembrado de trompetas en flor. Allí pastaban día y noche un joven caballo rojo oscuro de crines negras y una yegua negra de treinta años que aún tenía buen aspecto hasta el punto de que dos años antes aquel joven corcel la había preñado. El sendero pasaba por el campo, a través de una verja y, junto a uno de los setos del siguiente campo, bajaba hasta un pequeño torrente donde pastaban media docena de vacas. Al fondo, un seto seguía la línea del torrente y una valla con un profundo desnivel me permitía, gracias a una tarima, llegar al último campo, que permanecía yermo. El terreno también subía y era el refugio nocturno de cuatro caballos de tiro. El sendero, después de acercarse gradualmente a un seto de la izquierda, avanzaba junto a él, pasando bajo el castaño de indias que lo cubría, frente a la casa, hasta alcanzar el seto lejano y el camino. Allí, al llegar a otro seto acababa el sendero. La caseta de ladrillos encalados y piedras negras se encontraba a escasos metros del camino, frente a un pequeño huerto con un sauce llorón y un laurel, un nogal en un jardín empedrado y, detrás, hierba. En el lado que daba al camino había un tejo, en el otro un frutal.

Era un placer pasar la mañana o la tarde yendo primero a esa casa, deteniéndome a hablar unos minutos con quien me cruzara, después errar con mi amigo sin prestar demasiada atención a los senderos batidos, describiendo una amplia curva, para volver a encontrarnos o en su casa o en mi vivienda. Generalmente a través de pastos y frutales, suavemente ondulados. Algunos campos tenían un bosquecillo o una hilera de olmos; uno tenía un fresno que sobresalía de un islote de densas zarzas; muchos tenían grandes manzanos o perales. Las peras eran pequeñas y marrones, de sidra, blandas como bayas de espino albar, las manzanas solían ser para producir jugo fermentado, innumerables, rosadas e incomibles, aunque alguna vez nos sucedió que recogimos algunas salvadas de la acción de las avispas, con la piel ligeramente viscosa y de un amarillo descolorido, pero con un sabor delicioso.

Había un torrente que teníamos que cruzar, poco profundo, con altos diques excavados y desnudos.

(fragmento de *The Last Sheaf*)

LA CARAVANA EN MARCHA
Alphonse Daudet

Al día siguiente, al alba, el intrépido Tartarín y el no menos intrépido príncipe Gregory de Montenegro, seguidos por media docena de porteadores negros, salían de Milianah y descendían hacia la gran llanura de Cheliff, a lo largo de un sendero delicioso, cubierto de jazmines, rodeado de tuyas, algarrobos y olivos silvestres, entre huertos y jardines y centenares de ruidosas fuentes que precipitaban el agua cantando de roca en roca. Un paisaje encantado del Líbano encantador.

La primera ascensión
Aquí el paisaje había cambiado. Ya no había flores, ni huertos, ni frescos pastos. Sólo pedregales desnudos y secos, que éste intentaba superar caminando agachado por miedo a caer; fosos repletos de un magma amarillento, que tocaba continuamente con la punta del *alpenstock*, avanzando y retirando el pie como un amolador.
Cada dos segundos miraba su brújula, que llevaba colgada de la cadena del reloj, pero quizá por la altura o por las variaciones de temperatura la aguja parecía haberse vuelto loca. Aquel era el único medio que le quedaba para orientarse en la niebla amarilla y espesa que le impedía ver a más de diez pasos. Al cabo de poco, empezó a ser cada vez más densa a causa de una nevada helada que le dificultaba el avance. En un momento dado, se detuvo: la tierra estaba blanca bajo sus ojos estupefactos. «¡El mundo es un pañuelo!». Había llegado al reino de las nieves eternas.
Sacó los anteojos de la bolsa, los asió con fuerza, agudizó la mirada, sacudió la cabeza. El instante era solemne. Naturalmente conmovido, pero orgulloso al mismo tiempo, le parecía haberse elevado mil metros y de una sola vez hacia las cumbres más excelsas y los peligros más grandes.

(fragmento de *Las aventuras de Tartarín*)

VAGABUNDEAR
Charles Lamb

Su hermosa cima negra, su viento helado, la vista vertiginosa de las montañas... y, después, Escocia, a lo lejos, y las regiones que se han hecho tan famosas por sus canciones y bailes. Estoy seguro de que ha sido un día que despuntará en mi vida precisamente como una montaña. Pero he vuelto (ahora hará tres semanas que he regresado a casa... ya hace un mes) y no puedo comprender la degradación que experimenté al principio. Estaba tan acostumbrado a vagabundear libre como el viento entre los montes y bañarme en los ríos sin que nadie me controlara. Ahora he vuelto a casa y debo reincorporarme al *trabajo*. Me he sentido pequeño, muy pequeño. Había soñado con ser un hombre grandísimo. Pero ahora se me está pasando y pienso que, con el tiempo, me adaptaré a esa condición de vida que Dios ha querido darme. Además, Fleet Street y el Strand son mejores para vivir definitivamente que en medio del Skiddaw. Sin embargo, vuelvo a dirigirme a aquellos lugares grandiosos donde he vagabundeado, compartiendo con ellos la grandiosidad.

(fragmento de Memorials of Charles Lamb)

EL ARTE DE SALIR A PASEAR
Karl Gottlob Schelle

El arte de salir a pasear debería suscitar interés en el hombre culto actual, en el que acorde valor a errar con el espíritu y los sentidos en la naturaleza, así como en un paisaje urbano, gozar de la naturaleza y la ciudad durante los paseos. Esto es, un arte del vivir debería ser, en el sentido auténtico de la palabra, objeto de atención, si la vida significa para él algo más que un simple juego.

(...) Pero, ¿cuál es el papel que el espíritu, de acuerdo con la naturaleza, desempeña en el acto de pasear? ¿Y a qué parte del espíritu responde dicho acto?

La finalidad es la de unir una acción espiritual con una corporal, elevar una pura ocupación mecánica (la de caminar) a un nivel espiritual. Pero, no se termina aquí. El ejercicio corporal debería ser un alivio para el espíritu, un bien para la salud del cuerpo. Por ello, una meditación metódica y agotadora es ajena al paseo. Para el espíritu ésta no significaría alivio, sino un agotamiento añadido, de la misma forma que dicha meditación conseguiría debilitar, y no robustecer, el propio cuerpo, como consecuencia de semejante ejercicio, físico y corporal contemporáneo. Además, durante el paseo el espíritu debería encontrar el propio material y los temas a través de una meditación relajada. Sólo entonces el acto de pasear podría asumir en sí el ámbito propio del espíritu y la educación.

(...) Además, el espíritu, a través de dicha ocupación, no está realmente ocupado, estimulado o, si se me permite la expresión, agradablemente sacudido; el espíritu se forma de un modo esencialmente original en muchos aspectos, a mi parecer. A decir verdad, el espíritu no llega, gracias a dichas ocupaciones, a realizar sus propios principios, ni a concretar sus propias convicciones, ni a tocar la propia perfección intelectual y moral, que sólo se puede alcanzar después de fatigas y dificultades; pero, a través del paseo, el espíritu entra en comunicación directa con la naturaleza y con otros seres humanos, algo que toca las fibras más sensibles del propio ser. Comprender su tenue idioma y abrirse a las alegrías más puras es lo que la naturaleza ha predispuesto para el hombre al realizar este acto de caminar, en absoluto substituible.

LAS NOCHES BLANCAS
Fedor Dostoievski

Caminé durante largo tiempo, como era costumbre en mí, olvidé donde me encontraba y, de repente, me encontré a las puertas de la ciudad.

Durante unos instantes me sentí alegre y me encaminé decidido más allá de las murallas de la ciudad. Caminé entre los campos sembrados y los prados. No me sentía cansado, incluso parecía como si se me desprendiera un peso del corazón. Todos los que me cruzaban me miraban afablemente y me saludaban; todos estaban alegres, todos sin excepción, fumaban. Yo también estaba muy alegre, como nunca lo había estado. Tenía la sensación como de encontrarme en Italia, de tanto como la naturaleza me había afectado, pobre ciudadano enfermizo, casi ahogado por las murallas de la ciudad.

(fragmento de *Las noches blancas*)

EL CAMINO DE LA POESÍA
Antonio Machado

II

¿Para qué llamar caminos
a los surcos del azar?...
Todo el que camina anda,
como Jesús, sobre el mar.

XXIX

Caminante, son tus huellas
el camino, y nada más;
caminante, no hay camino,
se hace camino al andar.
Al andar se hace camino,
y al volver la vista atrás
se ve la senda que nunca
se ha de volver a pisar.
Caminante, no hay camino,
sino estelas en la mar.

(fragmento de *Proverbios y cantares*)

APÉNDICE BIBLIOGRÁFICO

Es difícil encontrar en España libros que se ocupen del caminar como una actividad lúdica y saludable, ya que se tiende a integrarlo dentro de la competición, como la marcha, o bien se lo considera un sistema de preparación para otros deportes. En este apéndice incluiremos, por tanto, algunos libros complementarios: la salud de los pies, el masaje, la respiración y algunos ejercicios, como el *stretching*, todos útiles para el buen desarrollo del *walking*.

Karl Bos, *Caminando*, Oasis, Barcelona
Libro muy útil y bien presentado, con programas de entrenamiento muy bien diseñados.

R. Lambertucci, *La salud de los pies*, Ibis, Barcelona
Numerosas sugerencias para utilizar mejor nuestro pie, pues caminar es una fuente de salud y una actividad deportiva muy interesante.

V. R. Goldsmit, *Las mejores piernas*, Paidós Ibérica, Barcelona
Cuidados, ejercicios, todo para mantener las piernas en buen estado.

C. Lewis, *El libro del calzado*, Oasis, Barcelona
Para aquellos que sientan impulsos de artesano, este libro les suministra, con herramientas sencillas, todo lo necesario para fabricarse uno mismo el «soporte» del pie.

El pie es también un campo reflexológico de todo el organismo, con zonas bien delimitadas, con las que podemos acceder a cualquier miembro u órgano por medio del masaje.

D. C. Byers, *Masaje reflexológico de los pies*, Ibis, Barcelona
Desarrollo del método Ingham original, con el que podemos —entre otras cosas— aliviar el estrés, mejorar el suministro sanguíneo y ayudar a la naturaleza a lograr la homeostasis.

E. Buzzacchi, *Masaje zonal en video*, Ibis, Barcelona
Un vídeo de unos sesenta minutos que desarrolla la técnica del masaje zonal de los pies, acompañado de un detallado libro sobre las zonas reflejas.

C. B. Erede, *Póster para el masaje zonal de los pies*, Ibis, Barcelona
Un elemento muy importante que facilita la identificación de las zonas del pie con todo el organismo.

Sobre el masaje en especial recomendamos dos libros, uno más general y otro más especializado:

L. Lidell, *El libro del masaje*, Folio, Barcelona
Integral, *Masaje deportivo*, Oasis, Barcelona

En cuanto a ejercicios complementarios para todo el cuerpo, sin olvidarnos del yoga, fuente de unión con el cosmos:

A. Balaskas, J. L. Stirk, *Guía completa de ejercicios de stretching*, Urano, Barcelona

Manual Oficial de la República Popular China, *Ejercicios terapéuticos chinos*, Ibis, Barcelona

A. Lowen, *Ejercicios de bioenergía*, Sirio, Málaga

Y. Janakiraman, C. Rosso Cicogna, *Yoga solar*, Ibis, Barcelona
Uno de los libros más importantes y detallados sobre el yoga: asanas o posturas, pranayama o respiración energética y mantras o vibraciones sonoras.

En cuanto al respirar, acción fundamental de la vida, fuente de salud para toda actividad, tenemos:

Yogui Ramacharaka, *Ciencia indo-yogui de la respiración*, Ibis, Barcelona
Un libro clásico, despojado de todo palabrerío extraño, que nos introduce en un mundo nuevo, el mundo de la energía.

A. Van Lysebeth, *Pranayama*, Urano, Barcelona
Un libro muy completo sobre la respiración yoga.

E. Cardas, *Respirar: cómo desarrollar la energía vital*, Abraxas, Barcelona
Libro moderno y muy bien ilustrado, con ejercicios que desarrollan los últimos conceptos en materia de respiración.

ÍNDICE

Esta obra fue impresa en el mes de enero de 1998
en los talleres de Litoarte, S.A. de C.V.,
que se localizan en San Andrés Atoto 21-A,
colonia Industrial Atoto, Naucalpan de Juárez, Estado de México.
La encuadernación de los ejemplares se hizo
en los talleres de Sevilla Editores, S.A. de C.V.,
que se localizan en Vicente Guerrero 38,
colonia San Antonio Zomeyucan, Naucalpan de Juárez, Estado de México.